석운(夕雲) 김동찬

서울대학교 문리과 대학 영어영문학과 졸업

㈜ 한순실업 대표이사

1995년 뉴질랜드 이주

뉴질랜드 기독교신문 크리스천라이프 칼럼니스트

2023년 고국으로 영구 귀국

역서:

하나님의 인치심(The Seal of God, 2002년)

알라바스트론(Alabastron, 2010년)

저서:

마지막 편지(2022년)

화요일의 클래식(2022년)

화요일의 클래식 2(2023년)

https://brunch.co.kr/@guimms

발 행 | 2024-04-24
저 자 | 석운 김동찬
펴낸이 | 한건희
펴낸곳 | 주식회사 부크크
출판사등록 | 2014.07.15(제2014-16호)
주 소 | 서울 금천구 가산디지털1로 119, A동 305호
전 화 | 1670 - 8316
이메일 | info@bookk.co.kr

ISBN | 979-11-410-8234-5
본 책은 브런치 POD 출판물입니다.
https://brunch.co.kr

www.bookk.co.kr

내 삶의 흔적

젊음, 방황이 남긴 흔적

길고 흰 구름의 나라에 살며

향수(鄕愁), 언제나 나를 품어 주는 고국을 찾으며

노년, 오솔길이 된 삶의 흔적

석운(夕雲) 김동찬 지음

이 책을 읽는 분들에게

삼십 년 만에 고국으로 돌아와서

고국을 떠나 이국 땅에서 삼십 년을 살다 돌아왔습니다.

제가 살았던 나라는 길고 흰 구름의 나라라는 별명을 지닌 뉴질랜드였습니다. 자연 풍광이 아름답고 기후가 온화하고 거기 사는 사람들마저 순박하기 그지없어 흔히 지상의 마지막 천국이라고도 불리는 뉴질랜드지만 남의 나라에서의 삶은 쉽지 않았습니다. 때로는 힘이 들어서 때로는 외로워서 주저앉고 싶을 때가 한두 번이 아니었습니다. 그때마다 저를 붙들어 주고 일으켜 준 것은 글쓰기와 여행이었습니다. 하루 일이 아무리 힘들었어도 밤이 되면 책상에 앉아 글을 쓰다 보면 피로도 외로움도 풀렸습니다. 그러다가 틈만 나면 아내의 손을 잡고 훌쩍 어디론가 떠났습니다. 발길 닿는 대로 돌아다녔습니다. 여러 나라를 돌아다녔지만 고국 방문은 거의 한 해도 거르지 않았습니다. 고국은 언제나 그 따뜻한 품으로 우리를 반겨주었고 그곳엔 다정한 형제자매와 친구들이 있었습니다. 돌아보면 지나간 저의 삶은 두 하늘 아래의 삶이었고 저는 두 하늘 아래에서 자유롭게 살 수 있었던 복이 많은 사람이었습니다.

2023년 봄이 끝나갈 무렵 삼십 년 편안하게 살았던 뉴질랜드의 삶을 훌훌 정리하고 고국으로 돌아왔습니다. 수구초심(首丘初心)이란 옛말이 있듯이 나이가 들면 고향이 더욱 그리워지게 마련입니다. 언젠가는 고국으로 돌아가 여생을 마쳐야 하겠다는 생각이 가슴속 깊은 곳에 있었기에 몸은 이국 땅에 있어도 마음의 고개만은 언제나 고국 쪽을 향해 있었을 것입니다. 하지만 오랜 이국 생활을 정리하는 것이 쉬운 일이 아니기에 망설이다 세월이 흘렀습니다. 결심을 굳히고 실천에 옮기도록 만든 것은 의외로 2020년에 터져 나온 코로나 사태였습니다.

코로나 사태 때문에 하늘길이 막혀 거의 3년이나 고국을 방문하지 못하자 고국에 대한 그리움은 점점 사무쳤습니다. 2022년 6월에 코로나 사태가 조금 진정되어 하늘길이 열리자 우리 부부는 곧장 고국으로 날아들어 보고 싶던 사람들 모두를 고루 만났습니다. 그분들의 따뜻한 사랑 속에 두 달이 넘는 동안 발길 닿는 대로 고국산천을 누비며 우리 부부는 마음을 굳혔습니다. "정리합시다. 이번에 돌아가면 모든 것을 정리하고 고국으로 돌아와 남은 삶을 여기서 삽시다." 누가 먼저인지 모르게 우리 부부는 이렇게 입을 모았습니다.

그리고 뉴질랜드로 돌아오자 곧 귀국준비를 서둘렀습니다. 30년 그곳에서의 삶을 정리하는 것이 쉽지 않았지만 고국에서 살 새로운 삶을 생각할 때 모든 것을 내려놓을 수 있었습니다. 무엇인가 내려놓기 힘든 것을 만날 때마다 '아아 편안하다 늙어서 이리 편안한 것을, 버리고 갈 것만 남아서 참 홀가분하다,'라는 박경리 선생의 시(詩) 구절을 생각하며 홀가분하게 내려놓았습니다. 그리고 금년 2023년 3월 말 가벼운 몸과 마음으로 아내의 손을 잡고 고국으로 돌아와 새로운 삶의 둥지를 틀었습니다.

이제까지의 삶이 남긴 흔적을 모아 한 권의 책으로 펴냅니다. 젊은 날 방황의 흔적, 이국 하늘 아래에서 삶의 흔적, 틈틈이 여행을 하며 묻혀왔던 발길의 흔적이 이 책 속에 모여있습니다. 부끄럽지만 이 흔적의 하나라도 누군가의 가슴에 날아가 우리 삶의 한 단편을 보여주는 흔적으로 남았으면 하는 바람입니다. 글을 쓸 때마다 때로는 '달은 우리에게 똑같은 한쪽의 모습밖에는 보여주지 않는 것처럼 보인다. 어떤 사람들의 삶도 이와 같다'고 한 장 그르니에(Jean Grenier)의 말이 떠오르곤 했습니다. 어쩌면 저도 글을 쓰면서 달과 같이 저의 한쪽 모습만 보여주는 것이 아닌가 싶어 그렇지 않도록 나름 노력했습니다. 별로 잘난 것도 없고 그렇다고 꼭 숨겨야 할 만한 것도 별로 없는 삶이었기에 오히려 진솔하게 쓸 수 있었다고 생각합니다. 그렇기에 오히려 어떤 내용은 너무 유치할 수도 있고 또 너무 사적(私的)인 것도 있을 수도 있습니다. 이제 고희(古稀)의 나이를 넘어 팔순(八旬)을 향해 걸어가는 마당에서는 감출 것도 부끄러울 것도 없기에 그냥 담담한 마음으로 있는 그대로 내어놓습니다.

여러분 주변에서 쉽게 만날 수 있는 어느 이웃집 노인의 이야기라고 생각하고 편히 읽어주시면 고맙겠습니다.

2023년 겨울에 석운(夕雲) 김동찬 드림

차례

길고 흰 구름의 나라에 살며 57

향수(鄕愁),
언제나 나를 품어 주는 고국을 찾으며 119

젊음, 방황이 남긴 흔적

-그 찬란했던 젊음을 돌아보며

지난 세월을 뒤돌아 볼 땐 언제나 가슴이 아리다. 이제는 다시 돌아갈 수 없는 그 세월의 어느 한 편린(片鱗)이라도 아쉽지 않은 순간이 없지만 철없이 보내버렸던 젊은 시절이 가장 그립다. 못 견디게 돌아가고 싶은 그 시절이 생각날 때마다 박경리 선생의 시(詩) '산다는 것'의 마지막 구절이 떠오른다.

청춘은 너무나 짧고 아름다웠다

잔잔해진 눈으로 뒤돌아보는

청춘은 너무나 짧고 아름다웠다

젊은 날에는 왜 그것이 보이지 않았을까

젊은 날에는 보이지 않았던 그 짧고 아름다웠던 청춘이 지금은 조금이라도 보이는 것 같다. 젊은 날, 시간이 가는 것도 모르고 영원히 계속될 줄 알고 끝없이 방황하던 시절, 때때로 글을 썼다. 그리곤 꽁꽁 공책 속에 숨겨놓았다. 그때는 부끄러워서 내놓을 수 없었던 것을 이제 내놓는다. 포장지도 없이 꺼내 놓는 내 젊음의 흔적이다.

앞으로의 삶이 얼마나 남았는지 모른다. 하지만 세월이 또 한참 흐른 먼 훗날 어느 때, 더욱 잔잔해진 눈으로 뒤돌아보면 바로 '지금'이 또 다른 짧고 아름다운 청춘의 흔적으로 남았으면 좋겠다.

나와의 對話

풋풋했던 그 시절이 그립다

56년 전의 나와 지금의 나를 비교할 때 나는 과연 얼마나 성장하였을까? 육신적으로는 그때보다 당연히 노쇠하였을 뿐이다. 그렇다면 정신적으로는? 과연 성장하였을까? 자신 있게 고개를 끄덕일 수 있다면 얼마나 좋을까? 하지만 고개가 양 옆으로 흔들릴 수밖에 없는 사실이 슬프다. 56년 전에 나는 고등학교 2학년이었다. 17살, 아직 소년 티를 못 벗어난 사춘기의 끝 무렵에 있었던 나는 과연 무슨 생각을 하며 그 시기를 살고 있었기에 이런 글을 썼을까?

며칠 전 서랍 정리를 하다가 우연히 손에 잡힌 오래된 공책(지금은 노트라고 하지만 옛날엔 공책이라고 했다)이 있었다. 무심코 그 공책을 펼치다가 나는 너무 오래되어 연두색이 형광을 발하려는 듯한 접힌 종이 하나를 발견하였다. 무엇일까 집어 보니 1965년 11월 7일 ㅇㅇ 고등학교 문학의 밤으로의 초대장이었다. 조심스레 초대장을 펼치자 〈초대 말〉이 보였다.

창살의 볕이 따사롭습니다.
계절의 왕자,
들국화가
여기
조촐한 시를 읊조리고 있습니다.
싱그러운

내음에 도취되어

손짓 지어

벗을 부릅니다.

우리 모두

이

알찬 부름에

도취해 보지 않으렵니까?

-문예반-

풋풋한 젊음의 냄새가 싱그럽게 풍겨 나는 초대의 말이었다. '그랬군, 그 때 내가 문예반이었군,'이라고 중얼거리며 나는 초대장을 펼쳤다. 세 쪽으로 된 초대장 안쪽에 순서가 나와있었고 그 한가운데 다음과 같이 내게 주어진 차례가 있었다.

〈수필〉 나와의 대화 (고 2) 김 동찬

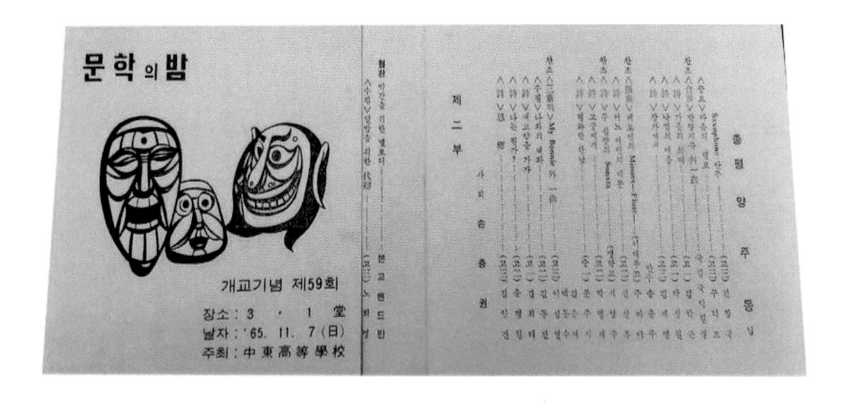

문학의 밤

개교기념 제59회

장소 : 3 · 1 堂

날자 : '65. 11. 7(日)

주최 : 中東高等學校

제二부

총평 양 주 동 님

사회 손 춘 권

나는 너무 반가워서 한참을 들여다보았다. 나이 든 요즈음은 불과 며칠 전 아니 몇 시간 전의 일도 잘 기억이 안 나는데 어째서 어린 시절의 일은 아직도 꽤나 생생하게 기억에 남아있는지 신기할 정도이다. 그날 초대장을 들여다보며 나는 까마득한 옛날로 돌아가고 있었다. 하라는 공부는 안 하고 말썽만 부리던 아들이었지만 그래도 아들이 문학의 밤에 나온다고 미장원에 다녀오셨던 어머니 생각도 났다. 초대장을 드렸더니 펼쳐보시고 순서 첫머리에 나온 '총평 양주동 님'의 성함을 보시고 "정말 양주동 박사님이 너희 문학의 밤에 나오시냐?"라고 물으시던 아버지 모습도 생각났다. "그럼요, 양주동 박사님이 우리 학교 선배님이세요."라고 어깨를 으쓱했던 내 모습도 생각나 혼자 웃음도 터뜨렸다.

초대장을 손에 들고 아득한 옛날을 회상하며 나는 가슴속 깊은 곳에서 우러나오는 그리움과 회한에 나를 맡기고 있었다. 고등학교 입시에 실패하여 원하던 학교에 가지 못하고 할 수 없이 다녀야 했던 학교에서 잘 적응하지 못하고 겉돌고 방황했던 기억도 떠올랐다. 그때 입었던 상처가 정말 크기는 컸었나 보다. 오십 년도 더 넘는 세월이 흐른 지금에도 그때 생각을 하면 마치 아물었다가 다시 도진 상처처럼 가슴이 쓰라렸다. 돌이켜보면 그때의 실패가 있었기에 나는 삶의 외길에서 벗어나 일탈(逸脫)의 경험도 하였고 아픈 상처를 메우기 위해 학교 공부와 관계없는 여러 책을 읽을 수 있어 결과적으로는 삶의 폭이 넓어지는 기회가 되었다. 하지만 실패의 충격에서 헤어나지 못했던 소년은 좌절감과 열등감에서 꽤나 오랫동안 절망의 늪에서 허우적거렸을 것이다.

1965년, 17살, 고등학교 2학년이었던 나는 방황의 극(極)을 헤매고 있었다. 학교 수업은 빼먹기 일쑤였고 뻑하면 아프다는 핑계로 조퇴를 하고 고궁을 돌아다니거나 아니면 동시 상영을 하는 싸구려 영화관의 뒷좌석에 앉아있다가 집으로 돌아오곤 했다. 학교 수업시간에도 공부는 하지 않고 공책에다 낙서나 다름없는 시나 단상을 적어놓곤 했다. 어느 날 쉬는 시간에 변소(그때는 화장실이란 말을 안 썼다)에 가면서 공책을 덮고 가는 것을 잊었나 보다. 내 자리로 돌아오다 보니 옆 자리의 친구가 내 공책을 열심히 보고 있었다. "뭐 해, 인마. 왜 남의 공책을 네 맘대로 봐!" 나는 험한 눈초리를 하며 공책을 빼앗았다. "어, 미안, 근데 너 참 글 잘 쓴다,"하며 그 친구는 내게 문예반 이야기를 했다. 그러면서 내게 강력하게 문예반에 들어올 것을 권했다. 나는 옆자리의 그 친구가 문예 반원이란 사실을 그날 알았다. 왜 그랬는지 나는 그날 그 친구의 권유에 큰 거부감을 느끼지 않았다. 그런 내 눈치를 알았는지 그날 오후 수업이 끝나자 그 친구는 끌듯이 나를 데리고 문예반 담당 선생님께 데려갔고 나는 그날부터 문예 반원이 되었다. 일주일에 한 번 있는 특활(특별활동) 시간에 문예반이 따로 모였고 나는 그 시간은 한 번도 빼먹지 않았다. 지금 생각해 보면 절망의 늪에서 방황하던 내가 그땐 그것이 무엇이던 어딘가 정착하고 싶었고 마침 그때 문예반이란 작은 섬이 눈앞에 나타나자 무작정 상륙한 것이었다. 나는 지쳐있었고 어딘가에 머물고 싶었을 것이다.

며칠 전 그날 우연히 서랍에서 바로 그 공책을 발견한 것이었다. 나는 그 옛날 옆자리의 내 친구가 그랬듯 호기심이 그득한 마음으로 공책을 한 장 한 장 넘겼다. 첫 페이지에는 실존주의(實存主義)에 관한 정의와 사르트르와 까뮈의 소설 이야기가 쓰여있었다. 다음 장을 넘기니 2월 8일에 쓴 '잃어버린 歲月'이란 꽤 긴 자작시가 세 페이지에 걸쳐 있었고 계속해서 같은 날 쓴 '十代'라는 자작시가 역시 세 페이지에 걸쳐 있었다. 두 편의 시 모두에 한자와 외국어가 난무하고 있었고 외로움과 분노가 넘쳐났다. 왜 그렇게 외로웠고 왜 그렇게 분노했는지 지금 생각하면 웃음이 나올 수도 있지만 어찌 보면 지금보다 훨씬 더 순수하고 심각했었다. 공책을 한 장 한 장 넘기는 나를 놀라게 한 것은 그때 일 년 동안 내가 거의 매일마다 시를 한 편씩 썼고 또 며칠에 한 편씩은 수필을 썼다는 사실이었다. 어떻게 그렇게 많은 글을 쓸 수 있었는지 지금도 그럴 수 있다면 얼마나 좋을까 하는 생각이 들 정도였다. 또 사귀던 여학생에게 보낸 편지도 많았는데 그 내용이 문학과 삶에 대한 나름대로의 성찰을 주고받은 것이었다.

처음엔 호기심 반의 가벼운 마음으로 분명 유치하기 짝이 없을 것이라고 생각하며 56년 전 소년의 글을 읽기 시작했지만 한 장 한 장 넘기면서 나는 오히려 빠져들고 있었다. '그때 이런 생각을 다했나, 아니 이런 걸 그 나이에 어떻게 알았지,'하고 혼자 중얼거리다 문득 벌써 고등학생이 된 서울에 있는 손자 생각이 났다. 요즘도 만날 때마다 어린애 취급을 하며 머리를 쓰다듬어 주지만 다음번에 만나면 장성한 청년 대접을 해줘야겠다는 생각이 들었다. 그런 생각을 하며 공책 장을 넘기다 드디어 나는 '문학의 밤'에 발표했던 '나와의 對話'라는 수필을 발견했다. 1965.10.10이라고 날짜가 쓰여있으니 다음 달에 있을 '문학의 밤'에 나가려고 써놓았다가 원고지에 옮겨 제출했을 것이 분명했다. 너무도 반가웠다. 그 글을 보면서 나는 56년 전 1965년 11월 7일 저녁으로 돌아가고 있었다. 강당(講堂)을 가득 채운 학생과 선생님 그리고 부모님이 보는 가운데 무대 앞으로 걸어 나가서 원고를 들고 낭랑한 목소리로 읽었던 고등학교 2학년 학생이 되고 싶어졌다. 나는 원고 대신 공책을 들고 일어섰다. 그리고 읽기 시작했다.

(다음의 글은 토씨 하나 구두점 하나 바꾸지 않은 공책에 적혀있는 그대로의 글이다)

隨筆

나와의 對話

紙幣처럼 닳아 헤어지고, 距離의 플래카드처럼 賤해 빠진 都市의 秋心에 --------,

하루 종일토록 하늘은 흐리고 女人의 陣痛하는 몸부림같이 가끔 빗방울이 떨어져 왔다. 잠시도 休息을 取하지 못한 내 喪失된 言語의 조각이 빗방울을 意識하며 걷는 내 머리에 無의 思索을 부여하고, 힘없는 발길이 腐한 내 肉身을 걸머지고 저벅거린다.

'허허허 ---,' 이토록 헤심 한 들뜬 너털웃음을 터뜨려야 하는 許多한 Mortal들. 연이어 차가운 밤 空氣를 거슬리는 부스러진 웃음을 所有할 必然性을 타고난 사람들. 암담하고 매정한 삶의 벌판 위에 떠도는 充血된 瞳孔의 메마른 心事들.

지금, 人間을 향한 劣等感이 차가웁게 내 핏줄을 逆流하고 있다.

한 개, 한 개 完全히 離脫되어버린 孤兒들과, 우스꽝스러운 永劫을 爲한 廣場에서의 行進. 해마다 365日을 살고 날마다 24時間을 살아도 왜 삶을 하는지도 모른다는 것이 不滿스럽다. 鋪道에 뒹굴어 다니는 落葉의 對話는 무엇을 意味하는가? 흔연히 政治口號처럼 흔해 터진 한 마디를 중얼거린다. "人生은 無常한 것이다."

성경, 찬송을 낀 무리들이 몰려온다. 그들을 避하여 좁은 골목길로 빠진다. 그들을 볼 적마다 나까지 죽음의 그늘 속에 휘감기는 것 같다. 그들은 항상 죽음만을 思惟하며 지내나 보다. 느즈러진, 꼭 장송곡과 같은 찬송가의 소리가 들릴 때마다 나는 죽음의 재를 呼吸하는 것 같이 숨이 답답하고 몸서리가 난다. 하지만 아침, 저녁 들리는 教會의 鐘소리가 싫지 않은 것은 웬일일까? 결국 그들도 無常한 人生을 永劫에 맺기 위한 수단으로 神의 存在를 是認하려고 애쓰는 것일 것이다. 불쌍한 사람들이군. 나나 그들이나.

길을 잘못 든 것 같다. 허탈한 웃음소리와 叫喊한 고함소리가 범벅이 되어 들리고 얼굴이 허연 酌婦가 실실거리는 것이 눈에 띄었다. 三流人生을 목숨하는, 아니 第一 高次的인 生을 享有하는 部類들이다. 창자의 고통이 完全히 마비되고, 혓바닥이 비비 꼬이도록 마시고도, 머릿속의 꿈틀거리는 상흔에 신음하는 저들이 所有하는 虛無와 내가 지닌 그것과에는 어떤 차이가 있을까? 苦痛과 그리고 末梢的 快樂이 얼룩져서 허옇게 바랜 그들의 눈동자에 어떤 逆을 향한 眞理가 오히려 있어서 假飾된 나의 머리를 숙이게 한다. 나나 그들이나 같은 生을 한다는 데서, 같은 人間이라는 데서 어떤 共感이 간다. 生을 한다는 것은 단지 現在까지 生을 하고 있다는 意味 외에 또 무엇이 있을까? 지금 싸느랗게 僞善된 永遠, 無數히 反復되는 隊列들. -나는 異邦人이 될 必要가 있을까? - 구태여 내가 人生이라는 行爲 自體에서 승화할 그럴 必要가, 아니 그렇게 멀리 떨어져 나갈 수가 있을까?

奢侈한 思索의 무리들, 나도 文明病에 들렸나 보다. 내가 돌았다. 精神病者처럼. 아! 精神病者, 지금은 잘 볼 수 없지만 어렸을 때 본 精神病者는 머리가 헝클어지고, 옷은 찢어지고, 아이들이 好奇心에 차서 따라다녔지. 어른들은 침을 퉤퉤 뱉고. 그래도 그는 혼자 웃고, 울고, 떠들면서 거리를 누비었지. 그때는 그들이 돌았지만 지금은, 지금은, 잘 모르겠다. 그들이 돌았는지, 或은 그들을 除外한 다른 人間들이 미쳐버린 것인지?

그럼 난 무엇인가? 한낱 하루살이 人生이지. 우습다. 팔딱이던 내 머리의 더운 血液이 차차 식어간다. 또 한 번 人間을 향해 逆流하는 차가운 劣等意識, 그리고 밀려오는 形而上學的인 것들.

虛無와 無常과 우울과 沈默.

街路燈의 숨결이 몹시 가냘프다. 아! 가을의 褪色한 落葉들이 내게 말해주지 않는가? 人生의 無常함과 그리고 人間의 보잘것없음을.

바람이 몹시 차다. 그리고 나는 熱心히 걷는다. 空虛와 虛無에서 조금이라도 탈출해 보려고 애쓰는 人間들을 爲하여.

'나와의 對話'는 여기서 끝이 났고 나의 독백 같은 읽기도 끝났지만 나는 자리에 앉을 수가 없었다. 내 후두부(喉頭部)는 아직 떨리고 있었고 내 목소리의 잔향(殘響)은 계속 방안을 맴돌고 있었다. 선 채로 그리고 공책을 양손에 든 채로 나는 내게 묻고 있었다. 요즈음의 나는 '나와의 대화'를 하느냐고. 나는 고개를 저었다. 나는 다시 물었다. 56년이 지난 지금 나는 그때보다 정신적으로 더 성장하였는가 어떤 열매를 맺었는가? 나는 다시 고개를 저었다, 아니 고개를 떨구었다. 부끄러움이 가슴속 깊이에서 올라왔다. 그리고 소년의 수필의 마지막 구절이 떠올랐다.

그리고 나는 熱心히 걷는다. 空虛와 虛無에서 조금이라도 탈출해 보려고 애쓰는 人間들을 爲하여.

소년은 열심히 걷는다고 했다. 인간들을 위하여. 얼마나 이타적(利他的)이었나!

나도 요새 열심히 걷는다. 내 건강을 위하여. 얼마나 이기적(利己的)인가!

한참 뒤 나는 자리에 앉았다. '문학의 밤' 초대장을 노트 안에 끼어 넣고 노트를 서랍 속에 다시 잘 보관했다. 그러면서 속으로 다짐했다. 이제 지난 과거는 놓아주자. 그리고 현실을 인정하자. 세월은 흘렀지만 여전히 나는 나다. 정신적인 성장은 없었다. 단지 무언가가 알고 싶어 헛되이 거두어들인 지식의 낙수(落穗)만 몸 속 어딘가에 쌓였을 뿐이다.

계속해서 열심히 걷자. 하지만 이제는 보폭을 넓히자. 내 건강만을 위하여가 아니라 그 옛날의 소년의 마음처럼 人間들을 위하여, 방황하는 인간들을 위하여, 외로운 인간들을 위하여, 미약한 내 손길이지만 내 손길을 기다리는 인간들을 위하여! 남은 삶이 허락하는 한 열심히 걷자!

2021. 2. 12 석운 씀

봄의 한구석에서

내 젊은 날의 파편

1972년 봄, 그때 난 대학을 막 졸업했고 입대 날짜를 받아놓은 상태였다.

군대에 가기 전 약 한 달 동안을 난 학교 앞 다방에서 살았다. 학교 앞에는 다방이 두 군데 있었는데 졸업식이 끝나고 친구들 모두가 제갈 곳으로 뿔뿔이 흩어진 그때 내 발길이 절로 향했던 곳은 고전음악을 잘 틀어주기로 유명한 학림(學林)다방이었다. 삐걱거리는 나무계단을 올라가 미닫이 문을 열고 들어가면 언제나 음악이 큰소리로 나를 반겨주던 그 다방은 대학 시절 내내 나의 은신처이기도 했었다.

그때, 대학생활을 너무도 좋아했기에 중간에 일 년 휴학을 하면서까지 연구실과 교정을 껴안고 있다가 밀려나듯 졸업을 했던 그때, 더 이상 미룰 수 없는 군 복무를 위한 입대 날짜를 불과 한 달 앞으로 통보받고 있었던 그때, 나는 아직도 사회에 나갈 마음의 준비를 못 갖추고 학교 근처를 어슬렁거리고 있었다.

지금 생각하면 참 철이 없어도 너무 없었던 나의 모습이었다. 남들은 앞으로의 진로를 생각하며 취직 걱정도 하고 유학을 꿈꾸기도 하고 아니면 군대 가기 전에 실컷 연애를 해야 한다고 여자 친구와 쏘다니기도 했지만 나는 그냥 책과 노트를 옆구리에 끼고 출근하듯 다방 문을 열고 들어와 빈자리에 털썩 주저앉아 커피 한잔 시키고 담배 피워 물고 음악을 들으며 시간을 보냈다.

어쩌면 그때가 내 삶에서 진공상태에 비유할 수 있는 시간이었는지도 모르겠다. 아무 일도 손에 잡히지 않아 오직 입대할 시간이 되기를 기다릴 수밖에 없었던 그때 미래의 일은 군대 가서 생각하기로 마음먹었었다. 군대에 가있는 동안 형편이 허락된다면 제대 후 공부를 더 했으면 하는 마음을 갖고 있었지만 여의치 못한 경우는 그때 가서 생각하기로 했다. 몇 년 후의 일을 미리 생각하기보다는 '카르페 디엠', 현재의 주어진 시간을 그냥 꼭 붙잡고 싶었다.

아직도 이십 대 초반에 머물러있던 그때, 나는 왜 장밋빛 미래를 꿈꾸기보다는 지나간 과거를 돌아보기를 그렇게 즐겼는지 모르겠다. 삶이 무엇인가의 문제를 풀기 전에는 무엇이 된다는 것은 의미가 없다는 생각을 평생 갖고 있었기에 그때나 지금이나 나는 고개를 뒤로 돌리고 무엇인가를 찾고 있다. 찾고 있는 그것이 무엇인지도 때로는 모르면서.

그때, 입대를 기다리던 한 달 남짓 1972년 봄, 학교 앞 다방 한구석에 칩거하며 나는 참 많은 음악을 들었다. 커피를 마시며 담배를 피우며 그러면서 시시때때로 대학노트에다 글도 많이 썼다. 그때 대학노트들을 나는 아직도 지니고 있다. 그 노트들을 가끔 열어보면서 나는 내 젊은 시절을 회상하곤 한다. 아, 안타깝도록 아름답던 시절들!

봄의 한구석에서, 이 시(詩)도 그때 썼던 글 중의 하나이다. 내 젊은 날의 파편이다.

봄의 한구석에서

가슴이 써늘하도록 따끈한
다갈색 커피 한잔을
흰
담배연기와 섞어
피부 속으로 곱게 접어 넣고
다실 한구석

파란 유리창 밖엔
봄
나뭇가지 사이를 밀고 들어오는
봄 봄 봄

-그리고 그
봄과 더불어 나타나는
사람들의
소리 없는 속삭임-

나무 너머로
옛 거리, 그 위로
날아오르는 작은 먼지와

따사한 햇볕의
반짝이는 속삭임, 그
빛남 속에 어우러지는 어린 나날들, 그
부드러운 세월의 틈바귀 사이로
비죽비죽 머리 내미는
과거 속으로 상실되었던
아름다운 것들

-엄마와 같이 불었던
비눗방울,
어린 동무들의 웃음소리
그리고 언젠가
잃어버렸던 하얀 도화지 한 장

다시 한잔의 커피, 그
따스한 감촉에
내 손이 떨리고
피어오르는 내음 속에
추억이 흩날리는
봄, 그
다실의 한구석

1972년 봄 석운 씀

이 겨울에 바람이 불고 비가 내리면

젊은 날의 회상

이 겨울에 바람이 불고 비가 내리면

이 겨울에 바람이 불고 비가 내리면
내 가슴의 한 귀퉁이는
벌써 내려앉는다

내려앉은 내 가슴 한 귀퉁이로
부우연 안개가 넘나들고
안개 사이로 아스라이 얼굴 내미는 안타까운 정경들

어린 날의 학교 운동장
마음껏 뛰놀다 벌렁 바닥에 누우면
푸른 하늘 떠가던 흰 구름

할머니 돌아가신 저녁
친구들과 놀다 돌아온
집 대문 앞에 매달려 떨고 있던 조등(弔燈)

진달래 화사하게 피어나던 교정

까르르 웃으며
꽃보다 환한 웃음 터뜨리던 여학생들의 얼굴

흰 구름도 사라지고
다정했던 할머니도 돌아가시고
여학생들의 얼굴도 모두 흩어져버린 이 겨울

바람이 불고 비가 내리면
바람보다 먼저 빗방울보다 먼저
축축한 추억만 내 가슴에 내려앉는다

그 겨울엔 비가 많이 내렸다. 날씨는 춥지 않았지만 흐린 날이 많았고 을씨년스러운 바람과 더불어 비가 자주 오는 겨울이었다.

12월이 되고 떨어져 구르던 낙엽이 무리무리 흩어져있는 교정에 뚝뚝 떨어지는 겨울 빗방울은 그렇지 않아도 심란한 우리들의 마음을 더욱 우울하게 만들었다. 거의 모든 강의가 끝이 났고 우리들은 졸업 논문을 마치기 위하여 도서관에서 그리고 학교 앞 다방에서 자주 만났다. 겨울이 지나고 봄이 오기 전에 우리들은 졸업을 해야 했고 또 학교 문을 나가야 했다.

시꺼먼 교복과 머리를 짓누르는 교모에서 벗어나 대학생의 자격으로 학교 문을 들어섰던 날이 엊그제 같은데 어느새 4년이 지났고 우리들은 이제 학교 문을 나가 또다시 탈바꿈을 할 차례였다. 서슬 퍼런 군사독재 아래의 대학생활 동안 데모가 없었던 해가 없었지만 이제 우리들 남학생 모두는 싫든 좋든 모두가 그 군사독재를 뒷받침하고 있는 군대에 가야 했다. 4년 동안 모자를 벗고 자유로운 학창생활을 즐겼던 우리들의 머리 위에 이제는 교모가 아닌 군모가 덮어올 시간이 얼마 남지 않았다.

논문준비라는 구실 아래 우리들은 모였었지만 우리들의 주된 화제는 군대라는 미지의 세계와 그 뒤로 펼쳐질 우리들의 장래에 관한 것이었다. 학사장교로 간부후보생으로 혹은 그냥 사병으로 이미 입대 날짜가 정해져 있었지만 군대에 대한 우리들의 생각은 다분히 부정적이었고 어떻게든 힘든 것을 참고 견뎌내 무사히 제대를 해야 한다고 우리들은 입을 모았다. 똥개가 짖어도 세월은 가기 마련이니까 우리 모두 잘 견디고 제대한 뒤에 다시 만나자고 하며 우리들 중 하나가 벌써 군인이 된 듯 군인스런 말을 하면 우리들 모두는 그냥 웃었다.

자 자 우리 대충 마치고 한잔 하자. 군대 가면 마실 수도 없어. 가기 전에 실컷 마시고 가야지 하며 누군가가 바람을 잡으면 우리들 모두는 그래 그러자 논문은 각자 집에 가서 쓰기로 하고 빨리 나가자 하고 거리로 쏟아져 나왔다. 바람이 불어도 차가운 겨울 빗방울이 머리 위로 쏟아져 내려도 젊은 우리들은 상관치 않았다. 우리들은 그렇게 모였고 그렇게 마셨고 그렇게 울분을 토해냈고 마음껏 우리들의 미래를 그려냈다.

그렇게 그 겨울이 지나갔고 우리들 모두는 교문을 나가 각자 갈 길을 갔다.

비가 많이 내리고 바람이 많이 불었던 그 겨울이 지나간 지 반세기의 세월이 흘렀건만 지금도 겨울이 되면 비가 내리면 바람이 불면 그 겨울이 생각난다. 그리고 그 겨울이 못 견디도록 그립다. (2017. 8. 2 석운 씀)

4월에 쓴 시(詩), 자화상, 껍데기는 가라

4.19의 시인 신동엽 시인의 죽음

4월이 되면

해마다 4월이 되면 벌써 40여 년이 지나 까마득한 옛날이 되어버린 1969년의 4월이 생각난다.

그 해 1969년은 미국이 쏘아 올린 아폴로 11호가 인류 최초로 달에 착륙했고 지구 저쪽 사람들은 금방 달나라에라도 갈 수 있을 것 같이 들썩거리던 해였다. 그렇지만 한국에선 재선의 임기가 얼마 남지 않은 박정희 정권이 장기집권을 위해 3선 개헌을 통과시킨 해였다. 미국이란 거인은 우주정복을 위해 아폴로란 커다란 공을 쏘아 올렸고 한국이란 난장이는 장기집권을 위해 3선 개헌이란 작은 공을 쏘아 올린 해였다. (세월이 흐른 뒤 이 작은 공은 소설가 조세희를 통해 소설로 태어난다)

그 해 대학교 3학년이었던 우리들 모두에게 1969년은 어수선하기만 한 해였다. 60년대의 마지막 해인 그 해를 어떻게 보내야 코 앞으로 다가온 70년대를 제대로 맞이할지 당황스럽기만 했고 그 70년대를 끌고 오는 이 60년대의 마지막 물결이 지나가기 전에 무언가를 이루어 놓아야만 한다는 강박관념이 어깨를 짓누르던 해이기도 했다.

그러나 무엇보다도 1969년 새 학기가 시작되자마자 우리에게 들려왔던 슬픈 소식은 신동엽 시인의 죽음(1969년 4월 7일에 서른아홉의 젊은 나이로 돌아가심)이었다. 4.19 혁명에 온몸으로 뛰어들었던 저항시인이기에 4.19의 시인으로 불렸던 신동엽 시인의 죽음은 우리들 가슴에 작지 않은 파동으로 몰려왔다. 4월이 되면 60년대의 대학생들은 '4월은 가장 잔인한 달, 라일락 꽃을 죽은 땅에서 피우며------'로 시작하는 T.S. 엘리엇의 시 '황무지'를 구호처럼 중얼거렸었는데 그 4월에 40의 나이를 넘기지 못하고 병마에 휩쓸려 세상을 떠야 했던 시인의 죽음은 모두에게 커다란 충격이었다.

신동엽 시인의 죽음

3선 개헌의 소문이 입에서 입으로 번지며 흉흉하기만 했던 1969년의 봄은 교정 사방에서 핏빛으로 피어나든 진달래 꽃가지 사이로 몰려왔고, 아무런 준비도 없이 60년대의 마지막 해를 맞았던 그 해 4월은 우리 모두에게 다시 한번 가장 잔인한 달이었다. 어느 사이 우리들의 입에서는 자연스레 신동엽 시인의 시가 신음처럼 토해져 나왔다.

껍데기는 가라.
사월(四月)도 알맹이만 남고
껍데기는 가라.

껍데기는 가라.
동학년(東學年) 곰나루의, 그 아우성만 살고
껍데기는 가라.

그리하여, 다시

껍데기는 가라.

이곳에선, 두 가슴과 그곳까지 내논

아사달 아사녀가

중립(中立)의 초례청 앞에 서서

부끄럼 빛내며

맞절할지니

껍데기는 가라.

한라에서 백두까지

향그러운 흙 가슴만 남고,

그, 모오든 쇠붙이는 가라.

껍데기는 가라

'껍데기는 가라'를 외치며 우리들은 데모에 나섰고 '껍데기는 가라'를 부르짖으며 우리들은 술자리에서 울분을 토했지만 가장 잔인한 달인 4월의 봄은 갔고 연일 계속되던 데모로 최루탄 가스와 돌팔매가 대학로의 허공을 가로지르던 여름도 지나갔고 1969년 그 가을에 삼선개헌은 국민투표란 요식행위에 의해 기정사실이 되었다. 그렇게 60년대의 마지막 해인 1969년은 지나갔고 60년대는 막을 내렸다. 그리고 70년대가 왔고 그 70년대의 첫해에 우리는 대학교 4학년이었다. '껍데기는 가라'를 외치던 우리 모두는 4학년이 되었지만 아무런 준비도 못 갖추고 있었다. 대학을 졸업할 준비도 사회로 나아갈 준비도 못 갖추고 있었던 우리 모두는 사실상 껍데기만 남아있었다. 떠밀리듯 70년대라는 불안한 뱃머리에 올라탄 우리들은 육지로도 바다로도 행선지를 정하지 못하고 어정쩡한 자세로 갈림길에 서있었다.

그리고 상당한 세월이 흘러갔다. 우리 모두는 대학을 졸업했고 군대에도 갔고 취직도 했고 결혼도 했다. 그런 모두들에게 69년은 아픈 상처로 남아있었고 해마다 4월이 되면 4.19의 시인이며 40살도 못 채우고 4월에 돌아가신 신동엽 시인을 생각했고 그의 시(詩) '껍데기는 가라'를 회상했다.

나도 그들 중의 하나였다. 그리고 진달래가 1969년 그 교정에서처럼 흐드러지게 피었던 어느 해 4월, 이미 40살이 훨씬 넘었던 나는 그 시인의 시를 생각하며 '자화상, 껍데기는 가라'는 시(詩)를 썼다.

자화상, 껍데기는 가라

껍데기는 가라
어느 시인의 외침 따라
껍데기는 가라
덩달아 소리쳐 부르짖던 시절이 있었습니다.
그러다 어느 날 껍데기가 되어있는
자신을 발견했습니다

껍데기는 가라
때론 여럿이 때론 혼자서
껍데기는 가라
소리쳐 부르짖으며 걸던 길은 외길이었는데
지금은 혼자 돌아와
갈림길 앞에 서있습니다

껍데기는 가라
아직도 어디선가 소리 들리는 것 같아
껍데기는 가라
귀 기울여 들어보면 예전의 그 소리가 아니기에
아무도 없는 갈림길 앞
식은땀 둘러쓰고 혼자 서있습니다

껍데기는 가라
그 시(詩)는 이미 전설이 되어있고
껍데기는 가라
시(詩) 속의 아사달과 아사녀는
사람들 가슴속에 사랑이 되어있는데
소리만 부르짖다 껍데기가 된 사내
갈림길 앞에 혼자 서있습니다.

껍데기는 가라

얼마나 더 소리쳐 부르짖어야
껍데기는 가라
그 부르짖음이 사랑이 되어
가슴속에 들어와 시(詩)가 될 수 있을까
아직도 생각만 하며 혼자 서있습니다.
발 한걸음 못 내딛고 갈림길 앞에 서있습니다

40살이 훨씬 넘은 어느 해 4월에, 석운 씀

내 친구 시인(詩人)

22년 전 나는 무엇을 알았기에 이런 글을 써놓았을까?

아내가 친구들을 만나러 나간 지난 토요일 오후 집에는 나밖에 없었다. 나는 커피 한 잔을 타들고 서재로 올라갔다. 그리고 언제나 그랬듯이 음악을 틀고 노트북을 열었다. 얼마 전에 가입한 오클랜드 문학회 카페에 들러 회원들이 올린 이런저런 글을 읽었다. 그러다가 어느 분이 〈한 줄 메모 글〉 난에 써놓은 '거친 바람 소리를 들으며 잠을 청하는 날이면 웬 지 모를 죄책감에 서랍을 열곤 한다'라는 글이 눈을 찌르듯이 들어왔다. 그리곤 나도 급작스레 웬 지 모를 죄책감(혹은 부끄러움)에 사로잡혀 내 노트북 한 구석에 잠들어있는 정말 오래전에 써놓은 글들이 있는 서랍(파일)을 열어 보았다.

거기엔 참 오래전 젊었을 때 써놓은 시와 수필을 비롯한 여러 가지 단상 모음이 잡다하게 있었다. 써놓긴 했지만 스스로 부끄러워 그리고 내놓을 용기도 없어 서랍 속에 꼭꼭 닫아놓고 몇십 년이 지나간 불쌍한 내 분신들이었다. 그러고 나서 무심하게 지나간 세월이 참 오랜데 오늘 문학회 카페에서 만난 메모 글 한 줄이 별안간 비수같이 내 마음을 찔러 꼭꼭 닫혀있던 서랍을 열게 했으니 짧아도 글의 위력이란 참으로 대단하였다. 이것저것을 읽어 보다가 22년 전에 써놓았던 '내 친구 시인'이란 시(詩)를 보면서 이곳 뉴질랜드로 오기 전엔 자주 만났던 그 친구 생각이 너무도 간절하게 나기에 용기를 내어서 처음으로 카페에 싣기로 마음먹었다.

다른 시인들의 시는 읽기도 많이 하고 감히 평을 한 적도 많지만 막상 내가 쓴 시에 대해서는 아직도 자신이 없는 것이 사실이다. 하지만 오늘 나 스스로와 내가 젊은 날 써놓았던 글에 대한 죄책감과 미안한 마음으로 감히 문학회 카페에 올린다. 써놓은 글들을 서랍 속에만 가두어 놓는 것은 부끄러워 고백하지 못한 사랑처럼 비겁하고 나중에 두고두고 후회할 것이라는 생각이 들었기 때문이다.

그날, 92년 6월 29일, 나를 찾아왔던 내 친구 시인(그는 50년대 우리 시단을 휩쓸었던 유명한 시인의 아들이다)과 대낮부터 퍼 마시고 돌아온 늦은 밤에 "요샌 마셔도 취하지도 않아"하며 쓸쓸하게 돌아서 가던 그 친구 생각이 나서 써놓았던 글이다.

내 친구 시인(詩人)

남쪽에서 비 소식이 들려왔던
6월의 어느 오후
열어 놓은 창(窓) 사이를 드나드는 바람처럼 문득
내 친구 시인이 나를 찾아왔다.

쓰알 놈의 자슥들 나 오늘부터 실업잘세
이따가 한잔 어때하며 털썩 주저앉는
그의 모습에서 유독 불거진 배가 나의 시선을 사로잡았고
나는 씁쓸히 웃었다

한두 번 때려치운 직장이 아니었기에
그의 말은 이미 뉴스가 될 수 없었으나

왠지 그 오후 나는 선뜻 그의 얼굴을 마주 할 수 없었다

배 말인가
쓰알 놈들 하고만 있었더니
시(詩)는 안 나오고 배만 나와
내 시선을 느꼈던지 뒷머리를 극적 거리며
그가 말했다

순간 나는 배를 움켜쥐고 웃었다
눈물이 찔끔찔끔 나도록 웃었다
왜 그래 이 사람
머쓱해진 그가 야단맞는 어린애의 눈길로 나를 보았을 때
나는 부작정 그의 손을 끌고 밖으로 나왔다

남쪽 어디선가 비가 내리고 있을 그 오후
우리는 대낮부터 마셨다
배가 나오고 머리카락이 듬성듬성한 두 사내가
부끄러움도 없이 시(詩)를 이야기하며
술이 목젖까지 차도록 마신 그날은
참으로 오랜만에 시인(詩人)의 친구가 된 날이었다.

92. 6. 29 석운 씀

화롯불

젊은 날, 나는 들불이 되고 싶었다

화롯불

나는
들불이 되고 싶었다
아니면 횃불이라도 되고 싶었지만
나를 사랑한다는 사람들은
내가 화롯불이 되기를 원했다

밤낮으로 그분들은 내 귀에 속삭였다
때로는 애원조로
때로는 협박조로
화롯불이 얼마나 사랑스럽고
집안에 필요한 불인 지

비겁한 나는 결국 화롯불이 되었다
방 한가운데 놓여
누군가 피어주면 피어나서
사람들에 둘러싸여
사랑 받는 화롯불

Amor fati

Amor fati

내 청춘의 꿈은 아직도 구름처럼 허공에 달려 있다.

헤르만 헤세의 소설 '황야의 늑대'를 처음 읽은 때는 고등학교 1학년 여름 방학이었다. '바로 이거다, 내가 원하는 인간,'이라고 나는 책 읽기를 마치며 속으로 쾌재를 불렀다. 그렇지 않아도 학교 공부가 하기 싫어 빙빙 학교 주위만 겉돌고 교실에 들어가기 싫어하던 나에게 '하리 할러(황야의 늑대의 주인공)'는 어둔 밤 구름을 뚫고 얼굴을 내민 보름달마냥 빛을 비춰 주었다.

하리의 영혼 속에 '시민'이라는 자아와 '늑대'라는 자아가 같이 살고 있었듯 내 속에도 그 비슷한 두 영혼이 살고 있었다. 그런데 그때까지 나는 착한 아들, 모범 학생이 되어 모두에게 인정받고 싶은 마음에 내가 정말 하고 싶은 것은 모두 억눌러놓고 하기 싫은 것만 억지로 해 왔던 것이었다. 그리고 나는 그런 내가 참 나(眞我)라고 생각해왔다. 그것은 분명 미망(迷妄)이었지만 부모님의 따뜻한 품과 선생님들의 사랑 속에 자라났기에 스스로 그것이 참이라고 생각하며 살아왔다. 나는 착한 아들이고 공부 잘하는 학생이고 모두에게 사랑받는 아이이기에 그대로 성장하면 당연히 훌륭한 사람이 될 것이라고 믿어왔다.

그러나 그 고정관념에 금이 가기 시작한 것은 고등학교 입시에 실패하면서부터였다. 불합격, 그것은 결코 있을 수 없는 일이었다. 나 스스로도 부모님도 또 주변 사람들도 아무도 내가 입시에 실패할 것이라고 생각하지 않았다. 그러나 나는 실패했고 할 수 없이 결코 다니고 싶지 않은 학교에 들어갈 수밖에 없었다.

때 이른 실패였지만 그 실패는 내 삶의 전환기가 되었다. 부모님과 가까운 친척들은 괜찮다고 나를 위로했지만 나는 내게 많은 기대를 했던 그분들이 내심 크게 실망하고 계신다는 사실을 알고 있었다. 그런데 이상하게도 그런 상황이 한 편으로는 내 마음 한구석에 조금은 홀가분한 느낌을 주었다. 이제부터 다시 열심히 해서 주변의 기대에 부응하자는 생각보다는 언제나 공부 잘하는 모범 학생이어야 하고 효자여야만 한다는 강박관념이 사라지면서 몸과 마음이 가벼워지는 느낌이었다.

그랬기에 고등학교에 들어가면서 나는 변했다. 학교엔 나갔지만 교실에 앉아있는 것은 내가 아닌 나의 껍질뿐이었다. 공부에는 거의 관심이 없었고 틈만 나면 아프다는 핑계로 조퇴를 한 뒤 학교를 빠져나가 거리를 배회하다 집으로 돌아오기 일쑤였다. 그렇게 한 학기를 보내고 여름방학이 되었을 때 우연히 읽게 된 책이 헤세의 '황야의 늑대'이었고 책 속에서 만난 '하리 할러'는 내게 큰 용기를 주었다.

'하리'는 50세의 여유 있는 자유인이었고 나는 많은 제약 아래 있는 아직도 어린 소년이었지만 영혼만은 그분처럼 자유로우니 일찌감치 참된 나를 찾는 여정을 시작해야겠다고 생각했다. 이제까지 착한 아들 착한 학생으로 살아온 것은 나를 위한 것이 아니었고 내 주변 사람의 욕구를 충족시켜 주기 위한 꼭두각시 노릇이었으니 그만두고 참된 나를 찾고 싶었다. 그때 내 마음엔 '황야의 늑대'라는 말이 너무 멋졌고 그렇기에 내 안에 분명 이제껏 억눌려있던 야성(野性), 즉 늑대가 있을 것이라고 생각했다.

학교 공부는 멀리했지만 나는 결코 불량 학생은 아니었다. 내가 원하는 늑대는 몰래 숨어서 담배를 피우거나 약한 학생들을 괴롭히는 양아치 늑대가 아니었고 그 언젠가 내가 떠나온 황야를 찾아가기 위해 방황하는 '하리 할러'와 같은 순수한 늑대였다. '황야의 늑대'를 읽으면서 헤르만 헤세가 좋아졌다. '데미안'이나 '수레바퀴 밑에서'와 같은 그의 그의 다른 소설을 읽으면서 더욱 그가 좋아졌지만 그때의 나를 더욱 감동시킨 것은 그의 생애였다.

선교사의 아들로 태어난 헤세는 14세 때인 1891년 명문 신학교이자 수도원인 '마울브론 기숙 신학교'에 입학했지만 이듬해에 신학교를 도망쳐 나왔다. 신학교가 자기와 잘 맞지 않는다고 느꼈고 '시인이 되거나 아무것도 되지 않겠다'는 것이 이유였다. 그 뒤에 다시 칸슈타트 김나지움에 입학했지만 16살 되던 1893년 10월에 영원히 학업을 중단했다. 학교에서 튀어나온 뒤 잠깐 시계 부품공장 수습공으로 일도 하며 2년간 방황하던 헤르만 헤세는 서점 점원으로 일하며 글을 쓰기 시작하면서 비로소 자기의 삶을 찾았다. 그의 첫 시집이 나온 것은 1899년이었고 그는 시인이 되었다.

'황야의 늑대'를 읽었던 고등학교 1학년의 내 나이가 16살이었다. 헤세가 16살에 학업을 중단했다는 사실은 우연의 일치였지만 내게 용기를 북돋아 주었다. 헤세만큼 용기가 없었던 나는 부모님이 무서워 학교는 때려치우지 못했지만 공부는 그만두었다. 그리고 그때부터 나는 틈만 나면 학교 도서관에 파묻혔다. 도서관에서건 교실에서건 집에서건 내 손에 들려있는 것은 교과서가 아니었고 소설을 비롯한 문학 서적들이었다.

2학년 1학기 수업이 끝났을 때 내 성적표는 비참하였다. 성적표를 받아보신 아버지의 손이 부르르 떨리는 것을 나는 보았다. 나는 얻어터질 각오를 하고 있었고 또 부모님께 이젠 학업을 중단하겠다고 말할 결심도 서 있었다. 그러나 나는 그러지 못했다. "이런 일은 우리 집에서 전무후무한 일이다,"라고 피를 토하듯 내게 말씀하신 뒤 성적표를 내던지고 아버지께서 방문을 박차고 나가셨고 뒤이어 방에 들어오신 어머니의 눈물과 애원에 나는 무너지고 있었다. "다시 생각해라, 얘야. 네가 이런 애가 아니었잖니, 내 아들아, 이젠 정신 차리고 에미한테 돌아오렴." 눈물범벅이 된 어머니를 억지로 떼어놓고 나는 성적표를 꾸겨 쥔 채 방을 튀어나왔다.

그 뒤 6개월 겨울방학이 될 때까지는 아마도 내 삶에 있어서 가장 힘든 방황이었을 것이다. 하지만 나는 흔들리고 있었다. 교실에서도 도서관에서도 가만 앉아있으면 노여움으로 손이 떨리시던 아버지의 얼굴 그리고 눈물로 내 손을 부여잡던 어머니의 모습이 떠올라 나를 괴롭혔다. "우선은 열심히 공부해서 대학교에 들어가라. 네가 하고 싶은 일은 그때부터 해도 결코 늦지 않다. 아버지 생각도 해드려라. 네 아버지 너 때문에 속병이 다 나셨다." 어머니는 틈만 나면 내게 오셔서 부드럽게 타이르셨다.

그러다가 사귀던 여학생으로부터 버림을 받았다. 그 해 크리스마스이브에 만난 그녀가 부모님이 '공부 못하는 애'와 만나지 말라고 하셨다는 말을 남기고 어둠 속으로 사라졌을 때 나는 둔탁한 무엇인가로 머리를 맞은 것 같이 정신을 잃었다. 한참 뒤 정신을 차린 내게 떠오른 사람은 또다시 혜세였다. 짝사랑하던 여자아이에게 말도 제대로 걸지 못하던 그가 결국은 자살소동까지 벌였다는 사실이 기억났다. 하지만 나는 혜세처럼 자살을 시도할 용기는 없었다. 그보다는 '공부 못하는 애'라는 말이 짓이겨버린 내 자존심의 상처가 너무 컸다. 나는 주먹을 쥐고 일어섰다. 우선은 대학교에 들어간 뒤 하고 싶은 일을 해도 늦지 않다고 하신 어머니 말씀이 내 발길을 인도했다. 나는 집으로 돌아와 오랜만에 책상 앞에 앉았다. 황야의 늑대를 동경하던 하룻강아지는 황야로 가는 길목에도 접어들지도 못하고 다시 우리로 돌아왔다.

일 년 후 나는 부모님이 원하시는 대학교에 들어갔다. 가까운 이웃분들과 친척들은 그러면 그렇지 하며 고개를 끄덕이시는 것 같았다. 대학에 입학한 뒤 몇 달 동안은 나도 즐거운 마음이었다. 무엇보다도 지긋지긋한 교복과 교모를 벗어버린 것이 기뻤고 담배를 멋지게 꼬나물고 교정을 어정거려도 아무도 뭐라고 하지 않는 자유인이 되어서 좋았다. 하지만 그런 시간은 오래가지 않았다. 교정에 마로니에 잎이 떨어지기 시작하고 싸늘한 바람이 옷깃을 파고드는 계절이 되자 나는 다시 내게 묻고 있었다.

'이것이 네가 원하는 황야의 늑대의 삶이냐?' '기껏 대학생이 된 것이 참 너(眞我)를 찾은 것이냐?'

나는 고개를 저었다. 아무리 긍정의 대답을 마련하려 애를 써도 돌아오는 대답은 끝내 부정이었다. 원하는(?) 대학에 들어갔다는 홍역 같은 들뜸도 자유인이 되었다는 홀가분한 기쁨도 오히려 역으로 나를 채근하고 있었다. '너는 다시 너를 위한 삶이 아니고 다른 사람의 기대에 부응하는 삶을 살고 있어.'라는 속삭임이 자나 깨나 귓가를 맴돌았다. 결국 2학년이 되며 나는 휴학계를 제출했다. 그리고 강의실 대신 도서관에 자리를 잡고 칩거하며 책 속에 파묻혔다. 머리를 식히고 싶으면 학교 앞 다방에 나와 커피를 마시며 음악을 들었다.

하이데거를 만난 것은 그때였다. '시간과 존재'를 읽으면서 헤세의 황야의 늑대와 하이데거의 현존재(Dasein)를 본질적으로 내가 추구하는 같은 존재의 양상이라고 내 마음속에서 결론지었다. 부모님이 원하는 그리고 사람들이 좋다고 여기는 대학에 들어왔다고 정해진 테두리 안에서 살아가는 것은 나의 삶이 아니고 타인의 삶을 사는 것이라는 생각이 다시 머리를 꽉 채우고 떠돌았다. '너는 누구냐?' 아니면 '나는 나인가'라는 대답 없는 질문을 붙들고 종일 멍하니 도서관에 앉아있다가 어두워지면 어깨를 축 늘어뜨린 채로 집으로 돌아오곤 했다. 어떤 날엔 불현듯 학교 대신 서울역으로 가서 아무 기차나 타고 이곳저곳을 며칠씩 돌아다니다 오기도 했다.

그렇게 일 년이 거의 지나가던 어느 날 나는 부모님께 부름을 받았고 다시 엄청난 꾸중을 들었다. 누군가로부터 내가 휴학계를 내고 학교에 안 나온다는 사실을 비로소 아셨던 것이었다. 이번에 나를 향해 쏟아진 부모님의 꾸중은 거의 절규에 가까웠다. 지난번 고등학교 때의 꾸중은 실망스러운 아들의 행동을 어떻게든 바로잡기 위한 질타였다면 이번에는 자식으로부터 배신당한 부모의 처절한 느낌까지 함께 배어 나오는 너무도 처연한 꾸중이었다. 나는 무언가 변명을 하려다 그만 입을 다물었다. '죄송합니다,' 라는 말만 수없이 하고 자리를 벗어났다.

나는 다시 학교로 돌아왔다. 부모님 슬하에 있는 동안은 부모님을 슬프게 만들지 말자. 나 스스로 독립한 뒤에 황야의 늑대가 되어도 늦지 않을 것이다. 나 스스로 만들어낸 초라한 변명이었다. 그리고 학교를 졸업했다. 그리고 사병보다는 장교가 좋다는 부모님 말씀대로 장교가 되어 군 복무를 마쳤다. 내 청춘이 그렇게 지나갔다.

그리고 지금까지 살아왔다. 착하고 아름다운 여인을 만나 결혼을 했고 꽤나 성공적인 사업을 했고 남 부럽지 않은 삶을 살아왔다. 그러나 그 삶의 구비구비에서 나는 언제나 목을 돌려 '황야'를 바라보았다. 그러나 보름달을 보고 때때로 서럽게 짖는 늑대는 되었어도 한번도 제대로 그 황야를 향해 달려가지도 어디선가 나를 반겨 품어줄 들판 속으로 들어가지도 못하고 그냥 살아왔다. 아무리 좋게 보아도 나의 삶은 비겁한 삶이었다.

하이데거의 말대로 스스로 판단하고 책임지는 자기의 삶을 살려는 '현존재(Dasein)'를 지키려는 외로운 투쟁을 하는 사람은 오직 소수에 불과하다. 그리고 용기가 있어야 한다. 나는 생각은 했어도 끝내 그런 용기가 없었다. 그런 나를 알았기에 나는 황야의 늑대는 못되어도 이 땅에서 살면서 시인(詩人) 횔덜린(Hölderlin)의 말대로 '시적(詩的)으로 사는 삶'이라도 살고' 싶었지만 그러지도 못한 것 같아 아쉽다.

어느 날 저녁 횔덜린의 시집(詩集)을 펼쳤다가 아래의 시구(詩句)를 발견하고 나는 그만 무릎을 쳤다.

조용히 유순한 아내를 사랑하며
영광된 고향에서 자기의 화롯가에 사는 자여, 행복하여라
(송시 〈頌詩〉, '나의 소유물' 첫머리)

고희를 훌쩍 넘긴 지금까지도 이따금 '황야의 늑대'를 꿈꾸고 들판에 활활 타오르는 들불을 선망하는 나는 진정 철 덜 든 노인이다. 이제는 정신 좀 차리고 화롯불이라도 제대로 지켜 꺼지지 않도록 해야 하겠다. 횔덜린의 시(詩)처럼 조용히 유순한 아내를 사랑하며. (2020. 9월 석운 씀)

그가 남겨놓은 일기장

그는 화석이 되고 싶었다

어느 날 아침

그는 든든히 아침을 챙겨 먹고

빙하의 계곡으로 걸어 들어갔다

아주 천천히

그리고 다시 나오지 않았다

누군가에 의하면

그는 화석이 되고 싶었다고 한다

육체로 태어난 인간의 마지막 소망

-그가 남겨 놓은 일기장엔 다음과 같은 글이 있었다-

신이 불행한 이유는

죽고 싶어도

죽을 수가 없기 때문이다

인간은 행복하다

마음껏 살다 지루하면

언제든 삶의 끈을 놓을 수 있으니까

불멸이 아니기에 슬픔이 숙명이지만
그래서 행복한 필멸의 존재, 너 인간이여,

Vanitas vanitatum et omnia vanitas!

그는 사라졌다. 빙하의 계곡 어디에서도 그의 모습은 찾아볼 수 없었다. 그가 소망대로 화석이 되었는지 아무도 알 수 없다. 다음은 대학시절 그와 가장 친했던 친구가 들려준 이야기이다.

대학교에 들어가자 그가 처음 읽으려고 펴 들었던 시(詩)가 엘리엇의 황무지였다. 그러나 황무지의 첫 연(聯)을 읽기도 전에 그의 눈을 붙잡은 것은 '보다 훌륭한 예술가' 에즈라 파운드에게 바쳐진 제사(題詞)였다:

정말 쿠마에에서 나는 한 무녀(巫女)가 항아리 속에 달려 있는 것을 똑똑히 내 눈으로 보았다.
애들이 '무녀야 넌 뭘 원하니?'하고 물었을 때 무녀는 대답했다.
'난 죽고 싶어.'

죽고 싶다니, 왜 죽고 싶었을까? 그리고 쿠마에 무녀는 도대체 누구일까? 꼬리를 물고 생겨나는 의문에 그는 황무지를 뒤로 하고 우선 쿠마에 무녀를 알기 위해 도서관에 파묻혔다. 인터넷도 컴퓨터도 없던 그 시절 그는 며칠을 꼬박 책에 묻혀 살며 다음과 같은 사실을 찾아내었다.

쿠마에 무녀(Cumaean Sibyl)는 당시 그리스의 식민지였던 이탈리아 나폴리 근처의 쿠마에에 살았다. 뛰어난 지혜를 지니고 있었던 이 무녀를 아폴론 신이 몹시 사랑했기에 한 가지 소원을 들어주겠다고 했다. 그녀는 아폴론에게 한 주먹의 모래를 들고 와서 모래의 숫자만큼 생일을 갖게 해달라고 말했다. 애석하게도 무녀는 오랜 생명만을 요구했지 젊음을 요구하지 않았다. 아니 어쩌면 한 가지 소원만 들어주기로 했기에 젊음은 요구했어도 거절당했을 수도 있다. 그녀의 소원은 이루어져 아무리 세월이 흘러도 죽지 않았지만 육체는 계속 늙고 쇠약해져 줄어들어 나중에는 마침내 목소리만 남았다. 축복이 되어야 할 장수(長壽)가 오히려 그녀에게 가장 견딜 수 없는 저주가 되었다.

쿠마에 무녀의 이야기는 그에게 큰 충격이었다. 삶은 영원하지 않다. 무녀의 손에 담겼던 모래의 수효가 아무리 많다 하여도 결국 끝이 있다. 그나마 늘리고 늘린다 해도 젊음이 수반되지 않는 장수(長壽)는 저주일 따름이다.

머리를 무겁게 만드는 쿠마에 무녀의 이야기를 가슴에 담은 채 그는 뒤로 했던 엘리엇의 시(詩) 황무지를 다시 폈다. 이런 제사(題詞)로 시작되는 시라면 무녀가 갖지 못한 온전한 영원으로 가는 길을 보여줄 것이라고 기대하였다. 하지만 시를 읽기 시작해서 처음 일곱 줄을 읽은 뒤 그는 그만 읽기를 중단했다. 황무지의 처음 일곱 줄은 다음과 같다.

4월은 가장 잔인한 달,
죽은 땅에서 라일락 꽃을 피우며,
추억과 욕망을 섞으며,
봄비로 생기 없는 뿌리를 깨운다
겨울은 우리를 따뜻하게 해 주었다.

망각의 눈(雪)으로 대지를 덮고
마른 구근(球根)으로 작은 생명을 대어주며.

여기까지 읽었을 때 그는 왜 엘리엇이 쿠마에 무녀의 이야기를 제사로 넣었는지 그리고 이 장편의 시를 통하여 무엇을 말하려고 하는지 이미 알아버린 것 같이 느꼈다. 더 이상 읽을 필요가 없다고 생각했다.

4월은 봄이 시작되는 달이며 겨울 동안 죽어 있던 온갖 생명이 땅 속에서 부활하는 달이다. 그런데 시인은 이 4월을 가장 잔인한 달이라고 못 박았다. 삶 혹은 살아나는 움직임보다는 차라리 망각의 눈에 덮인 따뜻한 대지 아래 영원히 잠들어 있는 상태가 행복하다고 생각했기에 시인은 그 잠을 흔들어 깨우는 4월을 가장 잔인한 달이라고 표현하였다. 시인은 영원한 삶이나 아니면 다시 살아나는 재생 혹은 부활의 삶을 추구하는 것이 아니라 오히려 죽은 땅을 망각이라는 이름의 눈(雪)으로 뒤덮고 있는 겨울이 따뜻하여 좋다고 노래하고 있었다.

20세기 전 세계의 시단(詩壇)을 뒤흔들어 놓았다지만 이 시는 결코 그가 원하는 것을 알려주는 시가 아니었다. 그는 이 시를 읽기를 포기하였다. 아니 사양하였다. 하지만 이 시는 그가 사춘기가 되면서부터 품어왔던 영원(永遠)에 대한 희구를 다시 일깨웠다. 중학교 2학년 때 그가 그렇게도 사랑했던 할머니가 돌아가시는 것을 눈앞에서 보면서 '왜 사람은 죽어야만 하는가' '영원히 살 수는 없는가'하는 의문을 품기 시작했고 언젠가 때가 되면 반드시 그 의문을 풀겠다고 혼자 다짐하여 왔던 그였다.

그때부터 영원을 향한 그의 도전은 본격적으로 시작되었다. 그는 다시 도서관에 파묻혔다. 수많은 책을 탐독했다. 그러나 어떤 책도 그가 원하는 답을 알려주지 못했다. 대학교 2학년이 되면서 그는 휴학계를 내고 학교에 나타나지 않았다. 영원이 전제되지 않는 삶은 가치가 없고 그런 삶을 조금 풍요롭게 하기 위한 학교 수업은 의미가 없다는 것이 그가 가까운 친구들에게 남긴 말이었다. 일 년 뒤에 그는 학교로 돌아왔지만 지난 일 년간 그가 무엇을 했는지 자세히 아는 사람은 아무도 없었다. 학교로 돌아오긴 했지만 여전히 그는 학교 공부에는 큰 관심이 없었다. 지남철에 끌리는 쇳가루처럼 강의에 들어가긴 했지만 맥 놓고 앉아 있다가 교수님에게 핀잔을 듣기 일쑤였고 강의가 없을 때엔 주로 학교 앞 다방에서 음악을 들으며 지냈다. 그러던 어느 날 그는 다시 사라졌다. 아무도 그가 정확히 언제 사라졌는지 몰랐다. 강의실에서도 또 학교 앞 다방에서도 그를 볼 수가 없는 날이 한참이나 계속된 뒤에야 학우들은 그가 다시 사라졌다는 것을 알았다.

날이 지나고 달이 지나고 해가 바뀌었지만 그는 다시 나타나지 않았고 또 학우들의 기억에서도 사라져 갔다. 어쩌다 그에 관한 이야기가 나왔지만 아무도 그의 행방을 아는 사람은 없었다. 누군가는 그가 절로 들어가 중이 되었다고도 했고 또 다른 누군가는 그가 신학대학에 다닌다고도 했다. 그 외에도 여러 다른 소문이 돌았지만 아무도 진실은 몰랐다. 그렇게 그는 잊혔고 다른 학우들은 학교를 졸업하고 각기 갈 길을 갔다.

누군가가 빙하로 들어가 나오지 않아서 수색대가 파견되었고 헬리콥터가 떴다는 뉴스가 라디오에서 티브이에서 흘러나왔지만 아무도 그가 그인 줄 몰랐다. 며칠이 지나도 그는 발견되지 않았고 그를 찾으러 들어갔던 수색대가 들고 나온 것은 그가 메고 들어갔던 배낭이었다. 배낭 속엔 아무것도 없었고 오직 그의 일기장만 있었다. 일기장에 적힌 그의 이름이 공개되었을 때 그를 알고 있었던 동창들은 이제는 아득한 과거가 되어버린 옛날을 회상하며 '결국 그 친구가.......'하고 중얼거리다 말을 맺지 못했다.

그가 남긴 일기장엔 몇 편의 글이 있었지만 제일 말미에는 다음과 같은 성경구절과 그의 유언 같은 마지막 고백이 있었다.

하나님이 모든 것을 지으시되 때를 따라 아름답게 하셨고 또 사람들에게는 영원을 사모하는 마음을 주셨느니라 그러나 하나님이 하시는 일의 시종을 사람으로 측량할 수 없게 하셨도다(구약 전도서 3장 11절)

제게 영원을 사모하는 마음을 주신 하나님, 당신께 감사드려야 할까요? 그래서 저는 평생 영원을 추구해 왔습니다. 그러나 당신께서 하시는 일을 측량할 수 없게 하셨다는 말씀에는 저는 끝내 승복할 수 없었습니다. 그러려면 무엇 때문에 영원을 사모하는 마음을 주셨습니까? 저는 오히려 '난 죽고 싶어,'라고 했던 쿠마에의 무녀의 심정을 이제야 제대로 이해할 것 같습니다. 영원을 사모할 순 있어도 가질 수 없다면 전 차라리 화석이 되겠습니다. 영과 육이 함께 있을 수 있는 영원한 화석이......

2020. 8. 21 석운 씀

사족(蛇足), 글쓴이의 생각: 그가 생각하고 추구한 영원은 하나님이 생각하는 영원과 달랐다. 하나님의 영원은 하나님 자신이었고 '영원을 사모하는 마음'은 곧 하나님을 사모하는 마음이었다.

오월이 되면

행복했던 날의 회상

그해 오월은 유난히 청명했다

그해 오월은 유난히 청명했다. 계절의 여왕이라는 말이 결코 무색하지 않을 정도로 매일 신선한 새벽이 밤을 밀어내고 하루를 열었고 창문을 열면 풋풋한 바람이 꽃향기와 더불어 코를 거쳐 가슴속으로 들어오곤 했다.

어린이대공원 맞은편의 주택가인 구의동의 그 집으로 이사한 것이 그 해 삼월이었다. 큰딸이 대공원 옆의 선화예술중학교에 들어갔고 작은딸도 바로 옆의 경복국민학교로 옮겼기에 서초동 집을 정리하고 이사를 왔다. 그때까지 살고 있었던 서초동 집이 정도 들었고 회사에서도 가까워 옮기기 싫었지만 아이들 학교가 우선이라 이사를 할 수밖에 없었다. 아이들 교육과 집안일은 전적으로 아내에게 맡기고 있었던 나는 이번에도 그냥 아내의 말에 기꺼이 따랐다.

처음엔 내키지 않았던 이사였지만 막상 들어와 살기 시작하면서 구의동 그 집은 가족들 모두에게 사랑을 받았다. 아이들이 걸어서 학교에 다닐 수 있다는 편의성뿐만 아니라 집 자체가 주는 안온함과 평화로움이 모두에게 기분 좋은 아늑함을 주었었나 보다. 마당이 꽤나 크고 정원이 잘 가꾸어져 있는 3층 양옥집이었는데 아이들 방은 3층에, 부엌과 거실은 2층에, 그리고 안방과 음악실을 만들 수 있는 또 하나의 커다란 거실이 1층에 있었다.

물론 내가 가장 즐겨 머문 곳은 이사 오자마자 음악실로 고쳐놓은 1층의 거실이었다. 2층 계단으로 통하는 문을 닫아놓으면 그 음악실은 내겐 이 세상의 그 어느 곳보다 훌륭한 천국이었다.

행복했던 날의 회상

1층 거실에서 문을 열고 나가면 잘 가꾸어진 화단이 있었고 화단 사이로 두세 계단 내려가면 잔디밭이 제법 널찍하게 펼쳐졌다. 잔디밭 곳곳에 라일락을 비롯한 정원수들이 제각기 자리를 지키고 있었고 오래된 감나무도 한 그루 있었다. 그해 4월에 화단 가득히 피어났던 영산홍의 붉은 색깔 잔치는 아직도 머릿속에 생생할 만큼 아름다웠었다. 화초 가꾸기를 좋아하는 아내는 틈만 나면 정원에 나와 이것저것을 손보면서 즐거워했다. 강아지를 갖고 싶다는 아이들의 성화에 강아지도 한 마리 사서 기르기 시작했었다. 거실에 앉아 음악을 들으면서 강아지와 뛰노는 아이들, 그 아이들보다 더 가벼운 몸짓으로 아이들 사이를 오가며 잔잔한 미소를 보내는 아내의 모습을 바라보고 있노라면, 아 아 이런 것이 행복이구나 하는 감탄이 나도 모르게 입술밖으로 새어 나오기도 했었다.

우리 정원에 새들이 날아든다는 것을 안 것은 일찍 잠이 깬 어느 날 새벽이었다. 어둠이 창밖 정원 나무 사이로 아직도 여기저기 무리 지어있는 그 새벽에 나는 나뭇가지 사이의 움직임들을 보았고 곧이어 그 움직임들이 가볍게 날아 내리고 통통거리며 잔디밭 위를 뛰어다니는 것을 보았다. 그것은 새로운 발견이었다. 그리고 또 새로운 충격이었다. 새들은 아마도 항시 거기 있었을 것이다. 우리가 이사 오기 전부터도 아니 그 훨씬 전부터도 새들은 거기 있었을 것이다. 그러나 나의 무관심이 새들의 존재를 의식

하지 못하다가 그 새벽 비로소 새들을 발견한 것이다. 그리고 그날부터 나는 창밖 내 정원의 새들을 유심히 살펴보게 되었고 또 새들은 어느덧 내 생활 속의 일부가 되었다.

그해 오월은, 구의동의 그 집으로 이사했던 그해 오월은, 몸과 마음이 모두 편안했었던 내 젊은 날의 한때였나 보다. 아이들은 원하는 학교에 들어가 잘 다니고 있었고, 아내는 새로운 집에서 새록새록 커가는 아이들과 더불어 웃음소리 가득한 집안을 꾸며나가고 있었던 그 해 오월은 나도, 항시 삶을 직시하지 못하고 뒷짐 지고 물러선 자세로 허허로운 눈길로 세상을 바라보던 나도, 애써 삶을 기쁜 마음으로 바라보려고 애썼었나 보다. 그렇기에 91년 오월 그때엔 이런 시도 쓸 수 있었나 보다.

오월이 되면

오월이 되면
내 뜨락의 하루는 작은 새들의 비상(飛翔)으로 시작된다
어디선가 각기 한입씩 새벽을 물어 나르고
쉬임 없는 날갯짓으로 어둠을 밀어내면
하늘은 위로부터 발그레한 얼굴을 들이밀고
뜨락 곳곳의 꽃도 나무도 부스스 기지개를 켠다

새들은 잠시도 쉬지 않는다
구슬이 구르듯 또르르 또르르
잔디 위를 노닐며 포옥 포옥 대지와 입맞춤하곤
꺄르르르 부끄러워 하늘로 날아올라

한바탕의 춤사위를 저희끼리 벌인다
찍 짹 찌찌 찌이째 노랫소리 자지러지고
신명 난 날갯짓 허공에 꽉 차면
내 뜨락엔 라일락 꽃 내음 물큰물큰 흐드러진다

새들의 작은 몸짓을 사랑하기 전까지는
내 뜨락의 한낮은 텅 빈 공간이었다
새들의 지저귐을 알아들으며
뜨락 가득한 움직임을 나는 비로소 보았다
흔들리는 풀잎 바스락거리는 나무 잎사귀 스쳐 가는 바람
모두가 꽃 내음 그득한 삶이었다

저녁이 되면
어디론가 쉼을 찾아 떠나며 새들은
내 뜨락에 어둠을 보낸다
그들 깃털만큼이나 부드런 어둠이 사위를 가득 채우면
뜨락의 하루는 끝이 나지만
내 명상(瞑想)의 하루는 그때 다시 시작된다
새들이 한입씩 물어올 새로운 새벽을 기다리며

91. 5. 25 석운 씀

길고 흰 구름의 나라에 살며

30년에 걸친 또 다른 방황

대학을 졸업하고 군대에 갔다 오고 결혼을 하고 사회에 나와 취직도 하고 사업도 하다 보니 어느새 불혹(不惑)의 나이를 넘겼다. 하지만 나는 불혹(不惑)의 경지는커녕 철도 들지 못했다. 아내와 아이가 둘이 있는 가장으로 응당 생활을 걱정해야 했는데 그보다는 삶을 고민하고 있었다. 사춘기부터 그때까지 그리고 지금까지도 내 머릿속을 채우고 있는 화두는 항시 '삶이란 무엇인가'였다. 무엇인가 새로운 변화가 필요한 그때 큰 아이가 중학교를 졸업했고 작은 아이는 중학교에 들어갔다. 입시 위주의 한국의 교육을 못마땅하게 생각하고 있던 나는 아이들을 입시 지옥에서 구해주고 싶었다. 또한 새로운 나라에서 새 삶을 살며 새로운 방식으로 '삶에 대한 고민'을 풀어보고 싶었다.

가능하면 멀리 떠나고 싶었다. 그래서 선택한 나라가 뉴질랜드였다. 그곳 '길고 흰 구름의 나라'에서 30년을 살았다. 지금 생각해 보면 그곳에서의 삶은 30년에 걸친 또 다른 방황이었다.

이름도 모르는 분

삶의 방향을 바꾸어 준 분

그날도 오늘같이 질척 질척 비가 내리고 있었다.

이십여 년 전이었다. 비행기에서 내린 오클랜드 공항은 생각보다 작고 초라했다. 겨를도 없고 초조한 마음이라 자세히 둘러보지 못했지만 오클랜드 공항이 주는 첫인상은 내가 생각했던 그런 멋진 공항은 아니었다. 얼마 전 딸아이랑 전화하면서 "거기 어떠니?" 하고 물었을 때 "그냥 예뻐요,"하고 말 끝을 흐리던 생각이 났다. 무언가 마음 한구석이 미흡한 느낌을 애써 떨쳐내고 입국 수속을 마치고 짐을 찾아 밖으로 나오자 어린 여자아이의 손을 잡고 다가온 중년의 한국 여자가 말을 걸었다. "저기 영은 아빠신가요?" "아, 예 그렇습니다. 연이 어머니시죠?"하고 이번엔 내가 물었다. "네, 처음 뵙겠습니다. 제가 연이 엄맙니다,"하고 머리를 숙여 인사하는 그녀의 모습에선 어딘지 피곤한 삶의 느낌이 전해 왔다. 비 오는데 공항까지 나오느라 힘들어서 그렇겠지라고 속으로 생각하며 "영은인 안 나왔나요?"하고 물었다. "네, 오늘 레슨이 있는 날이라서요. 레슨 끝나고 집에서 기다릴 거예요."하고 그녀는 대답하며 "피곤하실 텐데 빨리 나가시지요." 하고 출구 쪽을 가리켰다. 주차장에 새워 놓은 그녀의 차에 가방을 싣고 나자 그녀는 나에게 "뒤에 타세요. 얘가 엄마 옆에 앉고 싶어 해서요." 하며 엄마를 떨어지지 않으려는 딸아이를 가리키며 동의를 구했다. 나는 고개를 끄덕여 동의를 표하고 뒤에 앉았다. 공항 주차장을 빠져나간 차는 달리기 시작했고 밖은 어두웠다. 비가 계속 내리고 있었다. "집까지 얼마나 걸리지요?"하고 어두운 길거리를 내다보며 내가 물었다. "평소엔 한 사오십분 걸리는데 오늘은 비가 와서 거의 한 시간 걸릴 거예요."라고 그녀가 답했다.

큰 딸 영은이가 이곳 뉴질랜드에 온 지가 벌써 반년쯤 됐다. 중학교를 졸업하고 나자 어딘가 유학을 가고 싶어 했는데 영어권의 나라 중에서 고르다가 선택을 한 나라가 뉴질랜드였다. 한 번도 와보지 않은 나라였고 잘 알지도 못하는 나라였지만 책을 통해서 알아본 뉴질랜드는 나름대로 호감이 가는 나라였다. 영은이가 아들이었다면 아마도 무리를 해서라도 미국으로 보냈겠지만 사업차 많이 가본 미국이라는 나라는 딸아이를 보내기에는 너무 험한 나라 같아서 일찌감치 포기했고 캐나다와 호주 그리고 뉴질랜드 중에서 고르다가 여자아이를 혼자 보내 놓기에 그래도 가장 안전한 나라가 뉴질랜드 같아서 결정을 했었다. 미리 뉴질랜드에 와서 살고 계셨던 친지 한 분이 믿을만한 분이라고 소개해주셔서 연이네 집에 딸아이를 홈스테이(homestay) 시킨 것이 반년 전이었다.

"영은이 돌보시느라고 수고가 많으시죠? 어떻게 걔가 그런대로 잘 적응하나요?"하고 나는 운전하는 그녀의 뒤통수에 대고 물었다. "수고는요 뭘. 그리고 영은이가 성격이 좋아서 잘해나가고 있어요."라고 그녀는 말했다. "그렇다면 다행이고요. 좀 더 일찍 와 봤어야 하는데 이럭저럭 하다 너무 늦게 왔습니다."하고 나는 다시 비 오는 밖을 쳐다봤다.

처음 온 곳이라 어디로 가는지 알 수도 없었지만 차창 밖으로 어두운 바다가 보였다. 멀리 가까이로 한두 척씩 떠다니는 배가 보였고 그 배들 안에

켜진 불빛이 내 눈을 찌르고 들어오자 나는 비로소 외국에 와있다는 느낌이 들었다. “바닷길인가 봐요?”라고 내가 말하자 “네, 여긴 어디나 조금만 나가면 바다예요.”라고 그녀는 답했다. “여긴 타마끼 드라이브(Tamaki Drive)라고 오클랜드에서도 꽤나 아름다운 바닷길이에요.”라고 그녀가 말을 이어가는 순간 나는 차가 움찔하는 느낌을 받았다. “아니 차가!”하고 그녀가 당황스러운 목소리를 냄과 동시에 나는 달리던 차에 힘이 빠지는 것을 느꼈다. 그녀도 그걸 알았는지 차를 왼쪽 길가로 붙였고 곧이어 시동이 꺼졌다. 그녀가 한두 번 다시 시동을 걸어보려 했지만 시동은 걸리지 않았다. “무슨 일이죠?”라고 내가 묻자 그녀는 얼굴이 붉어지면서, “죄송해요. 기름이 떨어졌나 봐요.”라고 우물거리며 말했다. “기름이요?”라고 반문하는 나에게 그녀는 “오일 게이지가 고장이 난 걸 아직 못 고쳤는데요……그래도 기름이 좀 남아있을 거라 생각했거든요.”라고 말하고 고개를 숙였다. “원 이런, 그럼 어떻게 하지요?”라고 내가 묻자 “주유소에 가서 기름을 좀 사다 넣어야 되는데 꽤 멀어서 어떡하지요?”하며 오히려 내 얼굴을 쳐다보았다. 생전 처음 이런 경우를 그것도 처음 오는 외국에서 당했기에 나는 황당하기 짝이 없었지만 울상이 다 된 애 엄마에게 더 무어라고 할 수도 없어서 차 밖으로 나왔다. 비가 제법 세차게 내리고 있었지만 우산을 쓸 여유도 없었다.

나는 무작정 지나가는 차에게 손짓을 했다. 도움을 요청할 작정이었다. 궁즉 통이라고 어떻게 그런 용기가 났는지 지금 생각해도 신통하다. 첫 번 차는 그냥 지나갔다. 두 번째 차도 그냥 지나갔다. 나는 절망적으로 더욱 크게 손을 흔들었다. 세 번째 차가 내 앞에 와서 서면서 창문을 내렸다. 차 안에 앉아있는 중년의 백인 남자가 나를 쳐다보며 무슨 일이냐고 물었다.

나는 차에 기름이 떨어졌는데 도와달라고 말하며 길옆에 서있는 연이 엄마의 차를 가리켰다. 잠깐 나와 내가 타고 온 차를 번갈아 쳐다보던 그 남자는 내게 빨리 옆자리에 타라고 했다. 그리고는 가까운 주유소에 가려면 돌아가야 한다며 조심스럽게 차를 돌렸다. 운전을 하면서 그는 주유소에 가면 작은 용기에 기름을 넣어서 파는데 용기 값을 보증금으로 내놓았다가 나중에 용기를 갖다 주면 돈을 돌려줄 거라고 말했다. 그게 무슨 말인지 잘 모르면서도 나는 거푸 감사하다는 말만 계속했다. 멀리 주유소가 보이자 나는 반가웠고 차가 주유소에 도착하자 인사도 제대로 못하고 뛰어내렸다.

주유소 안에 들어가 직원에게 사정 설명을 하자 직원은 주유 호스가 달린 빨간 플라스틱 통을 내게 주면서 나가서 기름을 넣어 다시 갖고 들어오라고 했다. 나는 어떻게 기름을 넣는지도 몰랐다. 직원에게 내가 방금 외국에서 왔기에 어떻게 하는지 모르니 좀 도와달라고 사정을 했다. 그 직원은 잠깐 딱한 눈길로 나를 쳐다보더니 카운터에서 나와서 나를 데리고 주유대로 가서 플라스틱 통에 가득 기름을 넣었다. 그리고 다시 나와 함께 안으로 들어가더니 기름 값 외에 보증금 20불을 더 내라고 했다. 그때서야 나는 차 안에서 들었던 말이 이해가 갔다. 나는 내라는 대로 돈을 내고 고맙다는 인사와 더불어 기름통을 들고 밖으로 튀어나왔다.

밖으로 나온 뒤에야 나는 어떻게 연이 엄마가 기다리고 있는 차로 돌아갈지 막막하다는 것을 깨달았다. 비는 계속 내리고 있었고 어둠은 비를 따라 더욱 질퍽하게 내려앉고 있었다. '이 비에 걸어갈 수도 없고, 어디서 택시를 잡아야 하나,'하며 혼자 중얼거리며 허둥지둥 길 쪽으로 나가다가 문득 나는 나를 태우고 왔던 차가 비상등을 켠 채 주유소 마당 한구석에 아직도 서있는 것을 보았다. '아니 저 양반도 온 김에 기름을 넣으려고 그러나? 아직까지 여기 있게,'하며 차 쪽을 쳐다보자 그는 창문을 열고 내게 빨리 타라는 손짓을 했다. '아니 그럼 여태껏 나를 기다렸단 말인가?' 나는 놀랠 사이도 없이 그의 차로 뛰어가 문을 열고 그의 옆에 앉았다. "나를 기다리셨습니까?"라고 내가 묻자 그는 고개를 끄덕였다. 그리곤 똑바로 앞을 보고 운전하며 말했다. "이 시간엔 택시를 불러도 금방 안 와요." 나는 그만 가슴이 울컥하며 말문이 막혔다. 이 비 오는 밤에 여기까지 데려다준 것만도 고마운데 다시 데려다주려고 기다린 그의 따뜻한 마음이 온몸으로 전해 왔다.

얼마 안 돼 길가에 서있는 연이 엄마 차가 보였고 그는 그 바로 뒤에 차를 세웠다. 나는 그에게 고맙다고 인사를 하며 나중에 연락할 수 있도록 이름과 전화번호를 가르쳐 달라고 했다. 그는 웃으면서 우선 가서 기름부터 넣으라고 했다. 나는 재빨리 내려서 연이 엄마 차로 다가가 주유 뚜껑을 열고 기름통의 기름을 쏟아부었다. 그러는 동안 그는 가지 않고 뒤에서 헤드라이트를 켜서 내가 쉽게 기름을 넣도록 배려해 주었다. 기름을 넣은 뒤 인사를 하려고 그에게 다가가자 그는 다시 이상이 없나 시동을 걸어보라고 했다. 내가 연이 엄마에게 가서 시동을 걸어보라고 하자 시동을 건 연이 엄마가 잘 걸린다고 대답했다.

나는 다시 그에게 돌아가 정중하게 다시 고맙다고 말하며 꼭 한번 만날 수 있도록 연락처를 알려달라고 말하자 그는 손을 저으며 그럴 필요가 없으며 누구라도 이런 상황에서는 똑같이 도와주었을 것이라고 말하며 손을 흔들어 작별인사를 했다. 그리고는 곧 차를 몰고 서서히 앞으로 나아갔다. 그의 차가 어둠 속으로 완전히 사라질 때까지 나는 비에 젖는 것도 모르고 그 자리에 서있었다. "그만 타세요,"라고 말하는 연이 엄마의 목소리에 나는 정신을 차리고 차 안으로 몸을 디밀었다. "죄송해요, 저 때문에 너무 고생을 하셔서," 하는 연이 엄마에게 나는 "여기 사람들은 다 이렇게 친절한가요?"라고 물었다. "네 대부분 그래요. 아직도 사람들이 순수하지요,"라고 연이 엄마가 담담하게 대답했다. 비는 계속 내리고 있었고 어둠은 더욱 짙어졌지만 차창 밖으로 보이는 우중충한 거리의 모습이 별안간 다정하고 평안하게 내게 다가왔다.

아마도 그날 저녁이었을 것이다. 내 마음속에 이런 나라라면 한 번 와서 살아 볼만한 나라라는 생각이 어렴풋이나마 처음으로 들어왔던 순간이. 비록 딸아이를 공부시키기 위해 뉴질랜드로 보내기는 했었지만 그때까지는 외국에 나와 살 생각이나 이민을 올 생각은 전혀 하지 않았었다. 그날, 뉴질랜드에 첫발을 디뎠던 그날, 하마터면 큰 봉변을 당할 수밖에 없었던 순간에 도움의 손길을 내밀어 준 그 한 사람의 뉴질랜드 분의 따뜻한 마음씨는 그다음 해 우리 가족이 뉴질랜드로의 이민을 망설이고 있었을 때 분명 커다란 더하기로 작용했을 것이다.

어쩌면 한 사람의 친절한 행동이 한 가족의 삶의 방향을 바꾸는 계기가 되었던 것이다. 이십여 년이 지난 지금도 미션 베이(Mission Bay)를 향하는 타마끼 드라이브(Tamaki Drive)를 지나가다 아직도 옛날 그 자리에 서있는 칼텍스(Caltex) 주유소를 보면 비 오던 그날 저녁 일이 그 이름도 모르는 분의 따뜻한 마음씨와 더불어 생생하게 가슴속에서 살아난다.

그 저녁을 생각하며 한 편의 기도문을 쓴 때는 뉴질랜드로 이민 온 뒤 꽤나 세월이 지난 어느 비 오는 밤이었다.

이름도 모르는 분을 위한 기도

주님
비 오고 어두운 그 저녁
낯선 곳의 길 잃은 양처럼
손 흔들어 도움 청할 때 저랑 같이 계셨지요

주님
그 빗속 그 어둠 속 지나던 많은 차 중
손 흔드는 나그네에게 다가온 차는
분명 주님이 보내셨겠지요

주님
당신의 말씀 기억합니다
내 형제 중에 지극히 작은 자 하나에게 한 것이 곧 내게 한 것이니라

비 내리는 짙은 어둠 속
낯선 나라에 첫 발길 내디뎠다 곤경에 빠진 저는
분명 당신의 지극히 작은 소자였습니다.

주님

당신의 말씀 또 기억합니다
이 소자 중 하나에게 냉수 한 그릇이라도 주는 자는
내가 진실로 너희에게 이르노니 결단코 상을 잃지 아니하리라

주님
그 저녁 보내주셨던 이름도 모르는 고마운 그분
당신은 알고 계시니 당신께 맡깁니다.
그리고 감사의 기도를 드립니다

그분에게도 그리고 당신에게도.

2016. 8. 27 석운 씀

모에라키 보울더(Moeraki Boulders)

바위 앞의 내가 너무 초라스럽다

올해가 칠순이란다. 딸들로부터 '아빠 칠순에 뭐 해드려요.'라는 전화를 받았다고 며칠 전 아내가 내게 말했을 때 나는 그냥 할 말이 없었다. "칠순은 무슨 칠순," 하며 말을 끊었지만 나는 조금도 실감이 나지 않았다. 십 년 전에 환갑이라는 말을 처음 들었을 땐 벌써 그렇게 됐나 하고 그런대로 사실로 받아들였지만 이번에 칠순이란 말만은 도저히 받아들일 맘도 없었고 아직은 아니다는 생각만 자꾸 떠올랐다.

그날 저녁 한국에 있는 친구로부터 전화가 왔다. 칠순 여행을 어디로 갈까 하고 부인이랑 의논하다 뉴질랜드 남섬이 좋겠다고 의견을 모았다고 했다. 고등학교 동창인 그 친구는 나와 생년월일에서 생년월까지 같은 친구였다. 2년 전에 이곳에 부인과 같이 와서 오클랜드를 비롯한 북섬 몇몇 곳을 우리 부부와 같이 돌아다녔다. 그때 뉴질랜드가 너무 좋다며 다음에 기회가 되면 꼭 다시 와서 남섬 여행을 해보고 싶다고 다짐하던 모습이 바로 엊그제 일같이 머리를 스치고 지나갔다.

칠순 운운해서 나도 조금은 싱숭생숭하던 참에 온 친구의 전화는 아주 때맞은 전화였다. 그날 전화 통화에서 우리는 의기투합이 되었고 같이 남섬으로 칠순 여행을 하기로 했다. 그리고 지난 2월 말에 친구 부부가 한국으로부터 날아왔고 오클랜드에서 며칠을 같이 보낸 뒤 우리는 짐을 꾸려 남섬으로 떠났다.

크라이스트처치(Christchurch: 뉴질랜드 남섬 제일의 도시)까지는 비행기를 타고 갔고 공항에서 곧장 차를 빌려 자동차 여행을 시작했다. 크라이스트처치에서 2박 3일을 하며 지진에 처참하게 무너진 한때 아름다웠던 정원의 도시를 안타까운 마음으로 살펴보고 난 뒤 남쪽으로 차를 몰아 테카포(Tekapo) 호숫가에서 하룻밤을 자고 다음 날은 마운트 쿡(Mt. Cook)에서 하룻밤을 자며 호수와 산의 아름다움을 만끽했다. 생각해보니 어언 십 년 만에 남섬을 다시 찾은 것이었다. 짧지 않은 세월이 흘렀고 몸은 늙었지만 남섬은 여전히 너무도 아름답고 신선했다. 친구 부부는 가는 곳 보는 광경마다에서 감탄을 하다 하다 이제는 지쳐서 더 이상 뭐라고 할 말이 없다고 했다.

마운트 쿡을 떠나 더니든(Dunedin)으로 가는 길에 들린 곳이 모에라키(Moeraki)였다. 해변의 작은 마을인 이곳이 유명한 것은 바로 바닷가에 산재한 신비한 공 모양의 바위들의 무리 때문이다. 흔히 모에라키 보울더(Moeraki Boulders)라고 불리는 이 바위들은 커다란 공 모양의 암석들인데 지질학자들은 약 6,500만 년 전부터 칼슘과 탄산 화물이 자연적으로 굳어지면서 만들어진 방해석(方解石) 결정체라고 추정하고 있다. 이렇게 만들어진 단단한 결정체가 또 오랜 시간에 걸쳐 풍화 침식 작용에 의하여 둥근돌 모양도 되고 또 파도와 비바람에 의하여 겉모습이 거북이 등껍질 모양으로 갈라지기도 했다고 한다.

여행을 떠나기 전 모에라키의 이 바위들에 대한 정보를 들었고 또 제대로 보기 위해서는 반드시 썰물 때여야 한다고 해서 시간에 맞추어 모에라키의 바닷가로 차를 몰았다. 주차장에 차를 대고 해변 입구에 있는 카페를 지난 바닷가로 내려섰을 때의 그 광경은 참으로 장관이었다. 아직 안개가 완전히 걷히지 않은 바닷가 모래사장 위로 수 백 아니 셀 수 없이 많은 원형 바위들이 무리 지어서 혹은 혼자 떨어져 흩어져 있는 모습은 그대로 자연의 신비였다. 원주민 마오리들이 공룡의 알이라고 부를 만하다는 생각이 들었다. 벌써 많은 사람들이 와서 바위와 바다를 배경 삼아 카메라 셔터를 눌러대고 있었다. 아내와 친구의 부인도 적당한 장소를 골라 포즈를 취했고 친구가 사진을 찍었다.

크고 작은 바위들을 둘러보며 또 그 가지각색의 모습 앞에 압도되어 나는 한참씩이나 이 바위 저 바위 앞에 서서 바위를 쳐다보았다. 그러다가 문득 그 바위 중 하나가 내게 말을 거는 것 같았다. '너, 칠순이라고? 칠순 여행 한다며. 난 여기서 몇 천만년을 살았어. 그래도 무슨 기념 여행한 적이 없어. 세월은 내게 의미가 없어. 그냥 여기 있었고 앞으로도 계속 있을 거야.' 어느새 바위의 속삭임이 가슴속 깊은 곳을 파고들고 있었다. 나는 무언가

에 한 대 맞은 기분이었다. 그리고 까닭 모를 부끄러움이 온몸을 감쌌다. 겨우 칠십 년의 삶을 살고 나이 들었다고 생각했던 내가 그냥 부끄러웠다.

"이 사람, 그만 가세. 갈 길이 멀지 않나!" 멍하니 서있는 나를 보고 친구가 불렀다. "어, 그러세, 그만 가야지," 하고 친구 있는 쪽으로 가면서도 나는 몇 번이고 이 바위 저 바위를 돌아보았다. 안개가 완전히 걷힌 남태평양의 푸른 물결이 바위 저편에서 넘실거리고 있었다.

그 저녁 숙소에 들어가 자기 전에 시(詩)를 한 편 만들어 보았다.

바위

바위를 본다
한참을 보다 보면
석회질이 보인다
칼슘도 보인다
내 등뼈가 보인다 그리고 사람도 보인다

바위를 본다
한참을 보다 보면
바위의 숨결이 느껴진다
내쉬는 숨결에
태초부터의 역사가 묻어 나온다
그 앞의 내가 너무 초라스럽다

바위야

너의 생김새가 어떻건

내게 보이는 건 너의 속살

느껴지는 너의 숨결

너를 보다 너를 보다

태초의 자궁을 느낀다

그리고 어느덧 그 안으로 빨려 들어간다

평안하다

바위야 네 석회질이

내 등뼈를 받쳐주고

나는 몸을 동그려 태아가 된다

그리고 네가 말해주는 역사의 이야기에 귀를 기울인다

억겁을 살아온 네 생명이 안에 있건만

오늘도 네 겉모습만 보고 지나치는 사람들

바위야

이제 겨우 몇십 년을 살아온 사람들이

네 앞을 지날 때 너는 무엇을 보니

네 앞에 선 내 등뼈가 오늘 유난히 시리다

2017년 4월 석운 씀

세 자매 바위와 바다의 미풍

바람이 말해 주는 교훈

뉴 플리머스(New Plymouth)에 갔습니다. 뉴질랜드 북섬 서해안에 위치한 정원의 도시 뉴 플리머스는 우리 부부가 좋아하는 곳입니다. 이런저런 사정으로 올해엔 정원 축제(Garden festival)의 시기는 놓쳤지만 수국(水菊)을 좋아하는 아내가 철쭉(Rhododendron) 철은 놓쳤지만 수국은 볼 수 있을 것이라고 하기에 가까이 지내는 선배 부부와 같이 차를 몰고 내려갔습니다.

세 자매 바위

뉴 플리머스에 도착하기 한 시간쯤 전에 세 자매 바위(Three Sisters Rock) 해변이 있습니다. 마침 물때가 맞기에 차를 세우고 해변을 걸어 들어갔습니다. 세 자매 해변은 여전히 아름다웠고 한참을 걷다 왼쪽 모퉁이를 돌자 세 자매는 기다렸다는 듯 우리 부부를 맞아주었습니다. 자연의 신비는 참으로 놀라운 것이어서 오랜 세월 오직 물과 바람의 힘으로 해변에 세 자매 바위를 형성해 놓았습니다. 인간의 힘으로는 도저히 불가능한 자연의 창조물을 보며 한참이나 감탄하다가 우리 부부는 발걸음을 돌렸습니다.

세 자매와 인사를 나누고 돌아오다 올 때는 보지 못했던 기이하게 생긴 바다 동굴이 눈에 들어왔습니다. 세 자매를 만나려고 부지런히 앞만 보고 가다가 미처 보지 못했던 바닷가 암석이었습니다. 어찌 보면 코끼리의 모습을 닮기도 한 모습에 감탄해 서 있는 우리 부부를 한 차례의 부드러운 바람이 쓰다듬듯 보듬고 지나갔습니다.

그 순간 내 머릿속에 스떼판느 말라르메(Staphane Mallarme: 프랑스의 시인)의 시 '바다의 미풍(微風)의 첫 구절이 생각났습니다.

'육체는 슬프다, 아아! 그리고 나는 모든 책을 다 읽었구나.
달아나리! 저곳으로 달아나리.'

결코 말라르메가 모든 책을 다 읽었기에 이렇게 외친 것은 아닐 것입니다. 읽어도 읽어도 채워지지 않는 가슴이었기에 육체는 슬프다고 부르짖으며 저곳 미지의 피안으로 달아나자고 우리에게 외쳤을 것입니다. 그 순간 그 바다 기암(奇巖) 앞에서 나도 생각했습니다. 이제는 책을 놓자고. 그리고 책 너머의 어딘가로 달아날 때가 되었다고.

나이가 들어도 책을 손에서 놓지 못하는 것은 어쩌면 아직도 마음속 깊숙이 자리 잡고 있는 지식욕 때문이라는 생각이 나를 질책했습니다. 모든 가진 것을 내려놓아 심신을 가볍게 해야 할 나이인데도 책만은 쉽게 놓지 못한 것은 가장 큰 미련이고 욕심이었습니다. 많이 아는 것보다 이미 알고 있는 것을 제 대로 잘 소화하는 것이 훨씬 중요하다는 생각도 아울러 들었습니다.

그 옛날 성자 아우구스티누스(Augustinus: 4세기의 신학자, 고백록의 저자)를 회심시킨 것은 결코 수없이 읽었던 책이 아니었고 사도 바울이 알려준 사랑이었습니다. 육체를 만족시키는 쾌락을 추구하는 정욕도 문제이지만 정신을 만족시키는 희열을 추구하는 지식욕도 문제였습니다. 나이가 들면서 기억력도 떨어지고 집중력도 모자라는데 억지로 책을 붙들려고 했던 내 모습이 초라하게 느껴졌습니다. 이제는 모두 내려놓고 알고 있는 것만이라도 제대로 나누며 살아야겠다는 다짐을 할 때 바다로부터 다시 부드러운 바람이 불어와 얼굴을 스쳤습니다.

"그만 갑시다." 나는 옆에 있는 아내의 손을 잡고 가벼운 걸음으로 차로 돌아왔습니다.

2020. 11월 석운 씀

밤바다에서 정원을 생각하며

정원 속의 아름다운 정적과 순수

밤이 깊었습니다. 내일 아침이면 여행을 마치고 집으로 돌아갑니다. 4박 5일의 뉴플리머스(New Plymouth) 여행이 너무도 빨리 지나간 느낌입니다. 내일 오클랜드로 돌아가려면 여섯 시간 이상 차를 운전해야 하니 일찍 자리에 들어야 하지만 잠이 오지 않아 이리 뒤척 저리 뒤척거리다 결국 거실로 나왔습니다.

바닷가 숙소였기에 바다가 바로 코 앞이었지만 커다란 거실 유리문을 통해 보이는 밤의 바다는 단지 암흑이었고 끊임없이 부딪쳐오는 물결 소리만 들려왔습니다. 이번 여행에 같이 오신 선배 부부도 또 아내도 낮 동안의 일정이 피곤했는지 모두 곤히 잠이 든 밤입니다. 주무시는 분들께 혹시라도 방해가 될까 나는 불도 켜지 않고 거실의 소파에 앉아 보이지 않는 바다를 응시했습니다.

푹신한 소파가 편안했기에 그대로라도 잠이 오면 좋겠다 생각했지만 잠은 오지 않고 지난 며칠 간의 행적만 머리에 떠올랐습니다. 산과 해변이 같이 있기에 일 년 내내 기후가 온화하고 토양이 비옥한 서해안의 항구 도시 뉴플리머스는 해변도 아름답지만 아름다운 정원이 많아서 정원의 도시로도 불립니다.

이번 여정 동안에 우리는 많이 걷고 많이 보았습니다. 해변길(Costal Walkway)도 걸었고 뉴플리머스의 상징인 타라나키(Taranaki) 산에도 올라갔습니다. 비가 내릴 때에는 야외에 나가는 대신 박물관과 갤러리에도 들렀습니다. 하지만 가장 중점을 두고 다닌 곳은 역시 정원이었습니다.

뉴플리머스의 세 정원

뉴플리머스 주변엔 좋은 정원이 아주 많지만 그중에서 꼭 보아야 할 정원이 세 곳 있습니다. 도심에서 차로 불과 십여 분 걸리는 곳에 있는 와이와카이호 강(Waiwhakaiho River)을 끼고 있는 투파레 (Tupare) 정원은 입구를 지나 왼쪽 길로 들어서자마자 무리를 지어 피어있는 수국(水菊)이 가지각색의 색깔과 향기로 방문객을 맞아주는 곳입니다. 수국을 워낙 좋아하는 아내가 몇 년 전 12월 초 무심코 이곳을 들렀을 때 너무 기뻐서 어린애처럼 깡충깡충 뛰었던 곳입니다.

Tupare 정원

또 그곳에서 멀지 않은 곳에 있는 푸케이티(Pukeiti) 정원은 360헥타르의 너른 땅에 세상에서 가장 많고 다양한 철쭉과 꽃(Rhododendreon, 줄여서 Rhodo로 씀)이 모여 있는 곳입니다. 70년 넘게 사방에서 채집해 심어

놓은 철쭉이 열대 우림을 배경으로 만개해 있는 모습은 정말 장관입니다. 10월 말에서 11월 초에 꽃이 절정을 이루기에 우리가 갔을 때는 좀 늦어서 끝물이었지만 그래도 오히려 그 애잔한 모습이 초로의 미인의 모습을 보는 것처럼 그윽한 기쁨이었습니다.

그리고 뉴플리머스 시내를 벗어난 카퐁가(Kaponga)에 있는 홀라드(Hollard) 정원은 결코 빠트릴 수 없는 특별한 정원입니다. 1927년에 홀라드 부부(Bernie and Rose Hollard)가 만들고 가꾼 뒤 그들 사후에 아낌없이 나라에 기증하여 모든 사람이 무료로 방문해서 즐길 수 있도록 한 특별한 곳입니다. 이곳을 방문한 사람들은 이들 부부의 아름다운 사연에 놀라고 정원에 들어간 뒤로는 그들이 가꾸어 놓은 엄청나게 다양한 꽃의 아름다움에 놀랍니다.

Hollard 정원

이들 부부의 아름다운 마음이 방문자 모두에게 잘 전해질 수 있도록 타라나키 시의회(市議會)는 정원 입구를 커다란 응접실로 꾸며 그곳에 커피와 끓는 물을 상비해 누구라도 거저 마실 수 있도록 마련하고 또한 겨울이나 비가 올 때 몸을 따뜻하게 하라고 벽난로와 장작까지 비치해 놓았습니다. 이렇게 따뜻한 마음을 느낄 수 있는 정원이기에 우리 부부는 뉴플리머스를 방문할 때마다 반드시 이 홀라드 정원을 방문해서 다시 한번 감격을 새롭게 하곤 합니다.

Hollard 정원 입구

바람이 제법 부는지 거실 유리문을 통해 들리는 바다의 물결 소리가 좀 더 거세졌습니다. 밤은 더욱 깊어졌지만 아직도 잠은 오지 않았습니다. 캄캄한 어둠 속에서 아무것도 보이지 않았지만 오히려 머릿속에서 펼쳐지는 상념은 더욱 또렷해지면서 과거와 현재를 오갔습니다. 며칠 동안 휘젓고 다닌 정원들의 모습과 그 옛날 교정에 진달래 만발했던 대학교 캠퍼스 모습, 그리고 결혼 전 아내와 같이 다녔던 고궁의 뜨락 모습이 아득하게 서로 얽히면서 떠올랐습니다.

이번 여정은 불과 4박 5일에 불과했지만 이제까지 살아온 여정은 참으로 길게 느껴졌습니다. 지나간 세월과 그 세월과 더불어 묻어 사라진 모든 것이 아쉽고 가슴이 아리도록 그리웠습니다. 파도 소리가 다시 유리문을 때리고 지나갔고 사위는 어둠과 정적(靜寂)으로 휩싸였습니다. 그 순간 나는 온몸에 쥐가 난 듯 꼼짝도 할 수가 없었습니다. 문득 머릿속을 스치고 지나가는 몇 구절의 시(詩)가 있었기 때문입니다.

아름다운 정적(靜寂)이여, 여기서 나는 그대를 찾았다.
그리고 그대의 사랑스러운 동생 순수(純粹)도!
오랫동안 잘못 생각에 나는 그대를
번잡한 사람들의 모임에서 찾으려 했다

사람들과의 사귐이란 단지 조잡(粗雜)할 뿐
이 감미로운 고독에 비하면……

까마득한 옛날 학창 시절에 읽었던 **앤드루 마블(Andrew Marvell)의 정원(The garden)**이라는 시에 나오는 구절이었습니다. 꽤나 긴 시였지만 특히 이 구절이 좋아서 몇 번씩 읽곤 했던 기억이 새로웠습니다. 다시 머릿속으로 이 구절을 음미하면서 나는 이 시가 내게 주는 교훈이 이번 여행의 가장 큰 소득으로 느껴졌습니다.

정원에서 찾는 아름다운 정적과 순수

사람들은 나이가 들수록 외로움을 느끼고 그 외로움을 잊으려 혼자 있지 못하고 다른 사람들을 찾아 헤매기 쉽습니다. 그러나 정원의 시인 앤드루 마블은 아름다운 정적과 순수를 정원에서 찾았다고 노래합니다. 그리고 그 정원 속에서 향유하는 감미로운 고독에 비하면 사람들과의 사귐(society)은 조잡할 뿐이라고 합니다.

여행이 끝나는 그 밤 어둠과 정적 속에서 나는 나 자신을 돌아보았습니다. 며칠 동안 정원을 돌아다니며 나는 꽃의 아름다움과 향기만을 탐했지 그 속 깊은 곳에 숨어있는 정적과 순수를 만나지 못했습니다. 내가 부족하기 때문이었습니다. 정원은 결코 꽃과 나무가 가꾸어져 있는 곳만이 아닐 것입니다. 우리가 살고 있는 이곳저곳에서 우리는 각양각색의 정원을 만날 수 있습니다. 교회도 쇼핑몰도 카페도 우리가 마음먹기에 따라 아름다운 정원이 될 수 있습니다. 여행을 마치고 오클랜드로 올라가는 내일부터 일상으로 돌아가면 발길 닿는 모든 곳이 정원이라 생각하고 그 속에서 정적과 순수를 찾는 노력을 해야겠다는 생각을 했습니다.

다시 밤바다의 물결 소리가 유리문으로 다가왔고 이번엔 그 소리가 자장가 소리로 들렸습니다. 나는 조심스레 소파에서 몸을 일으켜 침실을 향했습니다. 가만히 침실 문을 열자 깊이 잠든 아내의 고운 숨소리가 나를 반기는 듯했습니다.

2020. 11. 25 석운 씀

엠페도클레스 콤플렉스

삶은 세상 그 무엇과 바꿀 수 없는 귀한 것

어느 정치인의 죽음

또 아까운 목숨 하나가 땅에 떨어졌다는 소식을 얼마 전 뉴스를 통해 들었습니다. 자기 아파트에서 투신자살한 이분은 장래가 촉망되던 정치가였기 때문에 사람들의 가슴을 아프게 하였습니다. 더 이상 썩기 힘들 만큼 썩고 썩은 정치판에서 그래도 비교적 덜 썩었고 그렇기에 사람들의 기대도 컸던 분이 자진하였기에 그의 죽음이 일으킨 파장은 의외로 컸습니다.

언제부터인가 우리나라에서는 어렵고 힘든 상황을 만났을 때 그 상황이 스스로 자초한 것이든 아니면 외부로부터 주어진 것이든 그 상황에서 벗어나는 방법으로 스스로 목숨을 끊는 선택이 유행처럼 번지고 있습니다. 참으로 안타까운 일이고 또한 개탄스럽기 그지없는 사회현상입니다. 더욱이 그렇게 목숨을 끊는 사람들의 대부분이 사회의 지도층에 있는 사람들이기에 이런 잘못된 삶의 마감 방법을 자라나는 어린 세대들이 배우지 않을까 무척 염려됩니다.

결코 있어서는 안 될 이런 일들이 우리 사회에서 계속 일어나는 것을 보며 문득 '엠페도클레스 콤플렉스'라는 말이 생각났습니다. 지금부터 거의 2,500년 전에 살았던 분의 이야기이지만 그때나 지금이나 사람들에게는 신(神) 혹은 신과 같은 존재가 되고 싶은 욕망이 있었나 봅니다. 시인이자

의사이며 정치가이자 철학자였던 엠페도클레스는 당시 사람들에게 신과 같은 대접을 받았고 그러다 보니 그러한 자신의 위상이 영원히 계속되기를 원했습니다. 그는 사람들에게 자기가 신이라는 확신을 심어주기 위하여 아무도 몰래 에트나(Etna) 화산에 몸을 던졌습니다. 신처럼 세상에 육신의 흔적을 남기지 않고 사라져 버리므로 사람들이 자기가 신인 것을 온전히 믿도록 하기 위하여서였습니다. 그러나 불행히도 화산은 그가 신고 다니던 청동 신발 한 짝을 토해냈고 사람들은 그가 자진하려고 화산에 뛰어들었다는 사실을 알아버렸습니다. 신으로 보이려던 그의 시도는 실패로 끝났습니다.

에트나(Etna) 화산

엠페도클레스 콤플렉스

가스통 바슐라르(Gaston Bachelard)라는 프랑스의 철학자가 이런 엠페도클레스의 죽음에 관한 신화를 기초로 해서 '엠페도클레스 콤플렉스'라는 개념을 만들어 냈습니다. 말하자면 이 콤플렉스는 '삶의 본능과 죽음으로의 본능이 결합'하는 콤플렉스인데 죽음으로써 신이 되기를 원했던, 아니면 최소한 사람들의 마음속에 신으로 남기를 원했던 엠페도클레스가 바로 그러한 경우라는 것입니다.

우리 조국에서 요즈음 땅에다 몸을 던져 삶을 마감하는 유명 정치가나 기업가분들은 엠페도클레스처럼 신(神)으로 남고자 하는 욕망까지는 아니라 할지라도 죽음으로써 자기가 그때까지 이루어 놓은 지위나 자기가 주장해 왔던 신념을 지킬 수 있다고 생각했기에 그런 선택을 하지 않았나 하는 생각이 듭니다. 그러나 신으로 추앙받았던 엠페도클레스마저도 에트나 화산이 토해낸 청동 신발 한 짝 때문에 실패할 수밖에 없었음을 생각할 때 과연 그들의 죽음이 모든 의혹을 덮고 문제를 해결할 수 있을까 라는 의문은 점점 커지기만 할 따름입니다.

세상에 생명보다 더 귀한 것은 없습니다. 정말로 죽을 결심을 하였다면 죽음을 택하기보다는 죽을힘을 다하여 눈앞에 다가온 상황을 극복할 마음을 먹고 혼신의 노력을 다했다면 오히려 반전의 기회를 만날 수도 있었을 것입니다. 그런데도 불구하고 보통 사람도 아닌 사회지도층의 유명 인사들이 자살이라는 극한(極限) 선택을 한 가장 큰 이유는 잘못된 자존심이나 결벽증이 아닐까 생각해 봅니다.

이 세상을 살다 보면 누구라도 잘못을 저지를 수도 있고 또한 유혹에 넘어갈 수도 있습니다. 할 수만 있다면 잘못도 저지르지 않고 유혹에도 넘어가지 않고 살 수 있다면 참으로 좋겠지만 실상은 그렇지 못한 것이 이 땅에서의 삶입니다. 그렇기에 신약성경의 반 이상을 기록한 바울 사도도 '죄인 중에 내가 괴수니라(디모데전서 1:15)'고 부르짖을 수밖에 없었던 것입니다. 바울 사도가 위대한 것은 그가 죄를 짓지 아니하였기 때문이 아니고 자기가 죄를 지었음을 인정하고 진정으로 회개한 뒤에 다시 시작했기 때문입니다. 그렇기에 그가 기록한 하나님의 말씀은 오늘날에도 사람들을 감동시키고 희망과 용기를 불어넣어 수많은 사람을 죄에서 벗어나 새사람이 되도록 만드는 능력을 가졌습니다.

생활고 때문에 또는 불치의 병이나 자신의 불우한 처지를 비관하여 자살하는 분들의 소식을 들을 때 가슴이 아픕니다. 그러나 이런 어려운 분들의 자살이 아닌 유명 인사들의 극단적인 선택의 소식을 들을 때에는 가슴이 아프면서도 한편으로는 그 잘못된 선택에 분노하는 마음이 생기는 것도 또한 사실입니다. 과연 그 방법밖에 없었을까? 그런 사회적 위치에까지 올라갔고 남들이 부러워하는 능력까지 가진 분들이 기껏 택한 삶의 마지막 방법이 그것밖에 없었을까를 생각할 때 실망감과 분노가 뒤섞여 가슴속을 휘젓습니다.

죽음은 아무것도 해결하지 못한다

죽음은 아무것도 해결하지 못합니다. 단지 눈앞에 다가온 괴로운 상황을 회피하는 것 이외에는 아무것도 해결하지 못합니다. 내가 죽는다 해도 내가 저질러 놓은 잘못은 그 자리에 그대로 남아있고 내 가족 내 친구들이 그 잘못 때문에 더 괴로운 지경에 빠지게 됩니다. 자살은 결코 나의 잘못으로부터 나를 결백하게 만들어 줄 수 없습니다. 정말로 내가 잘못이 없다면 죽음 대신에 죽을 각오로 살아서 해결해야 할 것이며 내게 잘못이 있다면 잘못을 인정하고 죄의 대가를 치른 뒤에 남은 삶을 더 열심히 사는 것이 올바른 선택일 것입니다.

우리 삶의 여정 고비고비에서 죽음은 우리를 유혹합니다. 사춘기의 청소년들에게도 나이 든 어른들에게도 죽음은 때로는 신기루처럼 안식처를 마련해 줄 것 같이 보이기도 합니다. 그럴 때마다 우리는 그 옛날 에트나 화산이 토해 냈던 엠페도클레스의 청동 신발을 생각하면서 잘못된 죽음의 환상에서 벗어나야 하겠습니다.

삶은 소중한 것

삶은 소중한 것입니다. 세상 그 무엇과 바꿀 수 없는 귀한 것입니다. 내가 목숨을 버리므로 사람들의 가슴속에 아까운 사람으로 오래오래 남아있는 것과 나의 잘못을 인정하고 용서받은 뒤 낮은 자세로 사람들과 더불어 살아가는 것과 어느 것이 낫겠습니까? 대답하기 어렵다면 옛 현자의 지혜를 빌어보는 것도 좋은 방법입니다. 장자(莊子)는 추수(秋水) 편에서 죽은 몸으로 삼천 년을 비단에 싸여 보관되는 거북이 보다 살아서 진흙 속에 꼬리를 끌고 다니는 거북이가 낫다고 말하며 초(楚) 임금의 부름을 사양합니다.

지루했던 겨울이 지나가고 봄이 오는 계절의 길목에서 우리는 잠깐 멈춰서서 우리의 삶을 돌아보는 시간을 가졌으면 좋겠습니다. 이제까지 너무 위만 보고 살아오지는 않았는지요? 혹시 우리도 그 옛날 엠페도클레스처럼 신이 되고 싶은, 아니면 신처럼 대우받고 싶은 마음으로 살아오지는 않았는지요? 잘못된 환상에서 화산으로 뛰어들지 말고 내 이웃들의 삶 속으로 뛰어들어 그들과 더불어 겸허한 삶을 살아가는 것이 아름다운 삶입니다. 임금의 부름이 권력과 명예를 약속하는 것 같지만 그 뒤를 따라올 세상의 무상함을 알고 있는 장자가 차라리 나는 진흙 속에 꼬리를 끌며 살겠다(吾將曳尾於塗中)고 말한 그 겸허한 자세를 본받는다면 우리 조국에서 요 몇 년 사이에 계속되고 있는 땅에 떨어지는 목숨이 그쳐질 수 있지 않을까 생각해 봅니다.

2018년 9월 석운 씀

나무야 나무야

마른 몸 닫지 않는 너의 자세, 닮고 싶다

로토루아에서

지난달에 로토루아(Rotorua, 뉴질랜드 북섬의 관광지, 싱가포르만 한 호수가 있음)에 갔었습니다.

교회 일로 다녀온 1박 2일의 짧은 여행이었지만 날씨도 좋았고 모처럼 아내와 더불어 하는 나들이라 가는 길 순간순간이 아름다웠습니다. 저녁나절 로토루아에 도착한 뒤 숙소에 들기 전 박물관 뒤편 로토루아 호숫가를 거닐다 의외로 아름다운 곳을 만나 발길이 머물렀습니다. 로토루아에 몇 번 갔었지만 과연 이런 곳이 있었나 싶을 정도로 눈길을 사로잡는 저녁 풍경이었습니다.

일몰, 호수, 겨울나무, 작은 물새들, 눈에 들어오는 하나하나가 매혹적이어서 작은 시재(詩才)라도 있었으면 그 자리에서 자연스레 시 한 편이 나왔어야 하는데 그렇지 못해 아쉬운 대로 사진만 찍었습니다.

나중에 숙소로 돌아와 잠자리에 들었지만 잠은 오지 않고 자꾸 호숫가 풍경이 생각나서 할 수 없이 일어나 시(詩) 한 편을 만들었습니다. 작은 새들을 너그럽고 소담스럽게 받아 준 나무에게 무언가 말을 건네야 할 것 같아서였습니다.

로토루아 호숫가

나무야 나무야 -로토루아 호숫가에서-

나무야 나무야

너를 닮고 싶다

꽃 지고 잎 져도

빈 가지 부끄러워 않고

벌린 팔 거두지 않는 너의 자세

나무야 나무야
네게 배우고 싶다
마지막 열매마저 떨어졌어도
헐벗음 부끄러워 않고
마른 몸 닫지 않는 너의 자세

이 호수에 낮이 가고
저문 저녁이 다가올 때에
나무야 나무야
네 빈 가지 마른 몸에
내려앉는 것은 어둠만이 아니구나

이 저녁 추운 호수에
날아드는 수많은 새들도
어둠과 함께 네 위에 내려앉는구나
이 새들을 기다리느라
바람도 견디고 추위도 견디며
빈 가지 마른 몸
거두지도 닫지도 않았구나
나무야 나무야

이 호수에 빛은 가라앉고

바람은 자고 어둠은 더욱 짙어가는데
나무야 나무야
네 빈 가지에 새의 잎이 솟았구나
네 마른 몸에 새의 꽃이 피었구나
네 밑동에 새의 열매가 쌓였구나

나무야 나무야
네 한창때보다 훨씬 아름다운 네 모습
어둠 속에 더욱 빛나는구나

2014. 9월 석운 씀)

레드 크리스마스(Red Christmas)!

보이지 않는 손길의 깊은 배려

이번 주 들어 부쩍 비 오는 날이 많았다.

며칠째 계속 비 내리고 바람 부는 날이 계속되더니 어제 저녁엔 빗방울이 점점 굵어지며 바람의 속도도 더욱 빨라져 사뭇 불안한 느낌마저 들었다. 라디오 뉴스에서 혹시 있을 정전 사태에 대비해 손전등을 가까이 놓아두라는 경고까지 듣자 더욱 불안했다. 그렇지 않아도 세계 곳곳에서 들려오는 기후변화로 인한 재해 소식에 마음 한구석이 뒤숭숭한 요즈음에 드디어 이 평화로운 뉴질랜드에도 좋지 않은 변화가 다가온 것이 아닌가 하는 불길한 생각이 저녁 내내 머릿속을 오락가락했다.

밤이 깊어지며 창문을 두드리는 빗소리가 점점 거세지고 그 빗방울을 몰고 오는 바람 소리는 더욱 점점 커져만 갔다. 빗소리와 바람 소리가 합해져 때로는 누군가가 내뱉는 신음처럼 귀에 거슬렸다. 듣고 있던 음악이 제대로 들리지 않았다. 평화로워야 할 모차르트의 바이올린 소나타가 불협화음으로 삐걱거리는 소리로 들렸다. 나는 일어나서 음악을 끄고 책상으로 돌아왔다. 보고 있던 책을 계속해서 읽으려고 했지만 책도 눈에 잘 들어오지 않았다. 귀는 빗소리 바람 소리로 웅웅거렸고 눈은 자꾸 창밖의 어둠을 향했다.

그때 마침 "춥지 않으세요?" 하며 아내가 두 손으로 잔을 감싸 쥐고 들어왔다. "그냥 따뜻한 물에요. 이런 날씨엔 드시면 좋을 것 같아서요,"하면서 내게 따뜻한 잔을 권하는 아내의 모습엔 날씨로 인한 불안의 기미는 전혀 없었다. 잔을 받아서 손에 쥐니 따뜻한 기운이 잔을 통해 손으로, 손을 통해 가슴으로 전해졌다. 잔을 입으로 가져가 아내의 배려만큼 따뜻한 물을 마시면서 나는 그때까지 공연히 불안해했던 마음이 조금은 사라지는 것을 느꼈다. 아내와 이런저런 이야기를 하다 11시가 넘어 자리에 들었다.

"그만 일어나세요,"하는 아내의 목소리에 나는 눈을 떴다. 누운 채로 창밖을 올려보았다. 다행히 비도 바람도 그친 것 같았고 창밖이 제법 훤했다. 나는 자리에서 일어나 침실 문을 열고 밖을 바라보았다. 하늘은 흐렸지만 낮은 구름 뒤로 해가 살며시 얼굴을 내밀고 있었다. 간밤에 얼마나 바람이 불었는지 마당엔 나무에서 떨어진 잔가지와 하얗게 떨어진 장미 꽃잎이 숨을 죽이고 엎드려있었다. 어젯밤에 비하면 무척이나 평화로운 아침이었다.

"해가 조금만 나와도 이렇게 다르구나,"하고 나는 무심코 중얼거렸다. "뭐라고 하셨어요?" 침대를 정리하던 아내가 나의 혼잣말을 들었던지 내게 물었다. "아니, 그냥......" 하고 얼버무리다 나는 "우리 오늘 아침은 나가서 먹읍시다,"라고 아내에게 말했다. 며칠 만에 모처럼 비가 그친 이런 날에는 밖에서 아침을 먹고 바닷가를 거닐면 좋을 것이라는 생각이 문득 들었기 때문이다. "와, 좋아요,"하고 아내도 활짝 웃었다. 우리는 빨리 준비를 하고 나와 데본포트(Devonport) 바닷가에 있는 우리가 잘 가는 카페로 차를 몰았다. 카페는 아침 손님으로 북적거렸지만 다행히 자리가 있어서 우리는 모처럼 남이 차려주는 아침을 맛있게 먹었다. 지난 8월에 내려진 록다운(lockdown: 코로나로 인해 내려진 봉쇄령) 사태 이후 처음으로 밖에서 먹어보는 아침이었다. 카페에 온 손님 중 낯익은 얼굴이 한둘 보였다. 아직도 록다운이 완전히 풀린 것은 아니었지만 록다운의 수위가 조금 낮아져 조심스럽게라도 식당 출입이 가능해지자 그 작은 행복을 즐기는 사람들의 얼굴이 오히려 전보다 환해 보였다. 나는 다시 속으로 생각했다. '자유가 조금만 주어져도 이렇게 다르구나!'

아침 식사를 마치고 카페에서 나온 뒤 우리는 차를 바닷가로 몰았다. 데본포트 선착장 앞의 잘 가꾸어진 꽃밭을 보며 한 바퀴 돈 뒤에 도서관을 끼고 킹 에드워드 퍼레이드(King Edward parade)를 따라 아주 서서히 차를 몰았다. 어젯밤 비바람을 견뎌낸 길은 이 아침 오히려 말끔한 표정으로 우리를 받아주었고 아직도 해가 온전히 나오지 않아 흐린 하늘 아래 바다는 엷은 회색의 물결을 점잖게 출렁이며 우리에게 아는 체를 했다. "어디를 좀 걸을까?"하고 바닷가를 걷는 것을 좋아하는 아내에게 물었다. 우리가 사는 데본포트에는 아름다운 바닷가가 다섯 개나 있기에 우리는 그날 기분에 따라 골라 걷곤 했었다. "글쎄요, 다 좋지만 거기 첼트넘 비치(Chelttenham Beach) 어때요. 아담해서 오늘 같은 날 좋을 것 같아요,"라고 답하는 아내의 말에 나는 오른쪽 해군 박물관을 지나 왼쪽으로 차를 몰았다. 마침 다음 날에 문학회 모임을 첼트넘 바닷가의 뷔페식당에서 갖기로 했기에 나도 미리 가보고 싶었던 곳이다. 이심전심이란 말이 이럴 때를 위해 생겨난 말일 것이다.

차가 첼트넘 길에 접어들어 바다가 가까워졌을 때다. "어머 저기 좀 보세요, 정말 장관이네요,"하고 아내가 앞을 가리켰다. 나도 고개를 들어 앞을 바라보았다. 간밤 폭풍우로 깨끗이 닦여진 길 위엔 꽃눈이 내려있었다. 붉은 꽃눈이었다. 올 따라 뉴질랜드의 '크리스마스 트리'라는 포후투카와가 나무마다 마음껏 꽃을 피워내고 있었는데 이곳 첼트넘 바닷가의 포후투카와는 밤새 모진 폭풍우를 몸으로 막아내며 그 분투의 흔적을 땅 위에 꽃눈으로 남긴 것이었다. 마오리(뉴질랜드 원주민)의 전설에 의하면 젊은 전사가 아버지의 복수를 위해 하늘로 오르다 떨어져 포후투카와 나무가 되었고 떨어져 내리는 꽃잎은 그의 피를 상징한다고 했다. 하지만 내 눈에 보이는 꽃잎은 붉은색 꽃눈이었다. 겨울에 크리스마스를 맞는 북반구 나라들과 달리 한여름에 크리스마스를 맞아야 하는 이곳 뉴질랜드에는 흰 눈이 소복이 내린 화이트 크리스마스는 결코 이루어질 수 없는 꿈이다. 사람들의 이러한 마음을 알고 있기에 어젯밤엔 비가 충분히 내려 길을 깨끗이 씻어냈고 바람은 포후투카와 나무를 흔들어 꽃잎을 떨궈 붉은 눈처럼 길을 덮었나 보다.

"레드 크리스마스(Red Christmas)네요. 여기서 오래 살았어도 이런 광경은 처음에요. 굉장히 예뻐요,"하고 아내가 내 속마음을 읽은 것처럼 차창을 통해 들어온 풍경을 보고 말했다. 나는 꽃눈을 밟지 않도록 차를 멀찌감치 세우고 아내와 같이 밖으로 나갔다. 보통 때엔 차를 댈 자리가 없을 정도로 사람들이 많이 오는 이곳 첼트넘 바닷가에 오늘 아침엔 사람도 없었고 차도 없었다. 마치 우리 부부를 위해 이 아름다운 풍경을 밤새 누군가가 준비해 놓은 듯한 느낌이었다. 길을 덮고 있는 붉은 꽃눈과 포후투카와 나무 뒤편으로 내일 모임이 있을 뷔페식당도 보였다. 그 뒤론 아직도 온전히 모습을 드러내기는 수줍다는 듯한 해를 감싸주고 있는 구름 아래 은회색 바다가 잔잔히 너울거리고 있었다. 마음을 가라앉혀주는 평화로운 정경이었다.

나는 문득 어젯밤 비바람 부는 날씨를 투정했던 내가 부끄러웠다. 나이가 칠십이 넘도록 살아왔어도 아직도 궂은 날 뒤에 개인 날이 있다는 평범한 사실을 깨닫지 못하는 내가 부끄러웠다. 비바람 소란스러웠던 밤이 없었다면 오늘 아침 눈뜨고 맞는 창밖이 그렇게 환할 수 있었을까? 해가 조금만 나와도 세상이 그렇게 달라진다는 고마움을 느낄 수 있었을까? 록다운 뒤 처음 먹은 카페에서의 아침 식사가 그렇게 감사할 수가 있었을까? 비 오고 바람 불지 않았다면 이 아침 첼트넘 바닷가의 레드 크리스마스가 생겨날 수 있었을까? 공연한 투정이나 하고 나는 곤히 꿈나라를 헤매고 있을 때 어느 보이지 않는 위대한 손길은 비를 이용해 깨끗이 길을 닦고 바람을 이용해 포후투카와 붉은 꽃잎을 땅 위에 뿌려 레드 크리스마스를 준비해 주신 것이다. 화이트 크리스마스를 맞을 수 없는 이 땅의 사람들을 위한 깊은 배려이셨다.

'고맙습니다. 저는 그것도 모르고......' 나도 모르게 나는 중얼거렸다. "또 뭐라고 혼잣말을 하세요? 오늘 좀 이상하세요." 옆에 있던 아내가 나를 보고 말했다. "흰 눈은 아니지만 이 붉은 꽃눈 위를 걷고 싶어요. 눈보다 부드러울 것 같아서요,"하더니 아내는 발걸음도 가볍게 레드 크리스마스의 안으로 걸어 들어갔다. 소녀 같은 아내의 행동에 나는 얼른 휴대폰을 꺼내 사진으로 담았다.

추신: 이 글을 읽는 모든 분께 즐거운 '레드 크리스마스!'를 전하며 성탄 인사를 대신합니다. 그리고 궂은 날 뒤에 더욱 빛날 밝은 태양이 여러분을 기다리고 있다는 사실을 믿으시며 이 어려운 코로나 상황을 이겨내시기 기원합니다. 감사합니다.

2021. 12 석운 씀

거리에 비가 내리듯,
사회적 거리(距離) 두기

코로나로 인한 봉쇄령(lockdown)과 산책

봉쇄령과 산책

남반구의 작은 섬나라 뉴질랜드에 봉쇄령(lockdown)이 내린 지 벌써 한 달이 지났다. 전염병(코로나 19)이 퍼지는 것을 막기 위한 최선의 방책이 사람과 사람의 대면을 막는 것이었으므로 그를 위하여 내려진 특단의 대책이 봉쇄령이었다. 봉쇄령 아래서 국민 모두는 특별한 혹은 꼭 필요한 경우를 제외하고는 집에 머물러야 했고 허용된 바깥 활동은 집 동네를 크게 벗어나지 않는 범위 내에서의 산책이었다. 산책은 할 수 있으되 가족 이외의 사람들과 만날 때는 반드시 2미터 이상의 사회적 거리(距離)를 두어야 한다는 조건이었다.

평생 처음 겪는 봉쇄령이었기에 우리 부부도 처음엔 갑갑해서 어떻게 지낼까 걱정스럽기도 했지만 며칠이 지나면서는 자연스레 적응하면서 나름대로 계획을 세워 하루하루를 지냈다. 계획대로 안 지켜지는 것도 있었지만 걷기도 하고 햇볕도 쬐기 위한 산책은 빠트리지 않고 했다. 다행히 집 근처에 바다도 있고 들판도 있고 작은 동산도 있고 걷기 좋은 주택가도 있어 다양하게 코스를 바꿔가며 매일 산책을 했다.

어색한 산책 풍경

봉쇄령이 내린 뒤 대부분의 거리는 한산했지만 산책하는 사람들은 제법 많았다. 그리고 혼자 걷는 사람보다는 부부나 가족 단위로 걷는 사람이 많았다. 전에는 길을 걷다가 마주 오는 사람과 만나면 자연스럽게 손을 흔들거나 아니면 Hi 또는 Hello 같은 가벼운 인사를 하는 것이 보통이었다. 워낙 사람들이 많아서 길에서 마주치는 사람끼리 눈인사마저 하기 힘든 한국과는 달리 뉴질랜드 사람들은 길에서 사람을 만나면 어떻게든 눈을 맞추고 눈짓이든 몸짓이든 말이든 인사를 하며 지나간다. 물론 국토에 비해 인구가 적으니 어디서든 사람을 만나면 반가워서 그렇게 하기도 하겠지만 사람들 자체가 아직 순수하고 정이 많아서 그럴 것이다. 그런 뉴질랜드의 길거리 풍경은 정겨웠다.

그런데 봉쇄령이 내린 뒤의 거리를 걷는 사람들의 태도가 이상하게 바뀌었다. 길을 걷다가 멀리서라도 마주 오는 사람들의 모습이 보이면 벌써 어딘가 경계하는 모습이 보이고 가까워지면 길 한쪽으로 등을 보이며 비켜서거나 길에 여유가 있으면 가능한 한 멀리 떨어져 지나치곤 했다. 처음엔 우리 부부도 어떻게 해야 할지 당황스러워 사람이 마주 오면 한쪽으로 서서 가만히 자나 가기를 기다렸지만 며칠이 지나면서는 우리도 아예 멀리서부터 길 한쪽으로 비켜서 지나갔다. 전에는 마주치면 서로 미소를 주고받으며 인사를 했지만 이제는 서로 계면쩍은 시선을 주고받거나 아니면 눈길마저 피하고 지나쳤다. 소위 코로나 전염을 방지하기 위한 사회적 거리(距離) 지키기가 급조해 낸 거리의 모습이었다.

비 오는 날의 산책

그날 오후는 하늘이 잔뜩 흐렸고 바람이 불었지만 일기예보를 보니 큰비는 없을 것 같아 아내와 같이 집을 나섰다. 날씨가 안 좋아도 온종일 집에만 있기보다는 그래도 밖으로 나와 좀 걷는 것이 좋을 것 같아 비를 대비해 우산을 들고 주택가를 걸었다. 바닷가는 바람이 셀 것 같아 주택가를 걸으면 바람도 막아주고 또 여차하면 쉽게 비를 피할 수 있다는 생각에 찾아든 주택가였는데 그런 생각을 한 사람은 우리만이 아니었다. 한적한 주택가였지만 군데군데서 걷는 사람들이 보였다. 아주 가끔이지만 마주 오는 사람들과 만날 때마다 한쪽으로 비켜서며 거리를 유지하고 지나쳤다. 그럴 때마다 억지로 미소를 교환하기도 했지만 어딘가 어색한 느낌이었다. 아마도 그 느낌은 우리 부부나 마주 오던 상대방이나 마찬가지였을 것이다. '우리가 왜 이래야만 하나'하는 석연치 않은 느낌이 서로의 가슴속에 오갔을 것이다.

잠시 뒤에 비가 오기 시작했다. 아주 가느다란 부슬비였지만 우리는 우산을 펴고 걸었다. 저만치 맞은편에서 우산을 쓰고 오는 남녀를 만났을 때 다시 거리를 유지하며 떨어져서 지나치며 이번엔 우산에 가려서 눈인사마저 못 하고 그냥 지나쳤다. 그들의 뒷모습을 옆 눈으로 지켜보며 나는 무언가 서러운 느낌이 들었다. 사람이 사람을 만나서 반가워하지 못하고 서로 경계하듯 떨어져서 지나쳐야 한다는 상황이 가슴을 아리게 했다.

거리에 비가 내리듯

다시 우산을 받치고 조금씩 떨어져 내리는 빗속을 아내와 같이 걸으며 나는 문득 그 옛날 젊은 시절에 읽었던 시구(詩句)가 생각났다.

거리에 비가 내리듯 내 마음속에 눈물이 흐른다

무엇일까 내 마음속 깊이 스며드는 이 우수(憂愁)는?

폴 베를렌느(Paul Verlaine)의 '거리에 비가 내리듯'이라는 시(詩)의 첫 구절이었다. 마음속으로 이 구절을 되뇌다가 나는 혼자 피시 쓴웃음을 웃었다. 별안간 이 시구가 떠오른 이유가 '거리'라는 첫 단어 때문이었을 것이라는 생각이 들어서였다. 물론 이 시에서의 '거리'는 길거리를 뜻하지만 내가 마음속으로 생각한 거리는 거리(距離)였기 때문이었다. 시인은 (길) 거리에 비가 내려 마음속 깊이 우수가 스며든다고 했지만 나는 사람과 사람을 떨어지게 만드는 거리(距離)에 비가 내리는 것을 느껴 마음속에 뭐라 표현하기 힘든 슬픔이 스며들고 있었던 것이었다.

우산(雨傘) 아래에서의 단상

과연 코로나가 무엇이길래 전 세계를 공포의 도가니로 만들고 사람과 사람 사이를 이렇게 떼어놓았을까? 우산을 받쳐 들고 빗속을 걸으며 나는 이런저런 생각을 했다. 어떤 사람은 이제부터 세상의 역사는 BC(Before Corona)와 AC(After Corona)로 나뉠 것이라는 말을 했다. 물리적 접촉을 통해 인간관계가 이루어지던 이제까지의 방식이 송두리째 바뀌어야 하는 시대가 왔다는 얘기다. 이제까지의 세상의 행동방식은 대면(對面)의 문화였다. 무슨 일을 하든 사람끼리 서로 만나 얼굴을 맞대고 하였다. 앞으로는 비대면(非對面)의 문화로 가능한 사람끼리 만나는 것을 피해 일을 처리하며 부득이 만나야 할 때는 지금처럼 일정한 거리를 두고 만나야 할 것이다.

우리의 삶은 모든 것이 관계로 이루어져 있다. 사람과 사람의 관계, 사람과 자연의 관계, 그리고 사람과 신(神)과의 관계, 이 모든 관계가 친밀할 때에 세상은 순조롭게 돌아갔고 이 관계에 이상이 생길 때 세상의 평화는 깨어져 나갔다. 그런데 앞으로 AC(After Corona)의 시대를 살아가야 할 사람들은 생존을 위해 강요된 거리(距離)를 지키며 살 수밖에 없다고 한다. 그렇다면 이제껏 우리가 최선의 관계라고 생각하며 살아왔던 관계는 어떻게 변하거나 혹은 파괴될 것인가? 그리고 우리는 과연 그런 새로운 시대에 제대로 적응하며 살 수 있을 것인가? 이제껏 인류가 자랑해 오고 우상처럼 섬겼던 문명과 문화적 이기는 이제 그 오만한 발걸음을 멈추고 뒤를 돌아보아야 할 때가 온 것이 아닐까? 야스퍼스(Karl Jaspers)는 기원전의 몇백 년 간을 '축(軸)의 시대'라고 불렀고 누군가에 의하면 인간은 아직까지 '축의 시대'의 통찰을 넘어선 적이 없다고 했다. 인지(仁智)가 발달하고 발달하다 못해 인공지능(AI)까지 등장해 첨단의 기술과 이론을 자랑하는 이 시대가 불쑥 튀어나온 코로나 바이러스에 이렇게 속절없이 무너져간다면 이제 우리 모두는 겸허한 자세로 역사의 뒤안길을 돌고 돌아 차라리 '축의 시대'의 현자들에게 오늘의 이 상황을 어떻게 타개해 나가야 할지를 물어야 하지 않을까?

가슴속의 울림, 지진(地震)

이런 생각에 잠겨 빗속을 걷고 있자니 점점 더 가슴이 답답해졌다. 받치고 있던 우산을 조금 들어 비 내리는 하늘을 바라보았다. 한참을 보고 있자니 비구름이 가득 드리운 낮은 하늘이 차츰 머리 위로 내려오는 느낌이 들었다. 젖힌 우산 너머로 그런 하늘을 바라보는 내 가슴이 조금씩 쿵쾅거리기 시작했다. 그냥 답답해서 가슴이 울리나 했지만 가만히 주의를 집중하니 내 심장을 통해 울려오는 그 쿵쾅거림은 보통의 울림이 아니었다. 마치 크고 작은 네 개의 현악기가 하나가 되어 빠르고 힘차게 쿵쾅거리는 것 같았다. 곧이어 나는 내 심장을 진동시키고 있는 울림이 어떤 음악이라는 것을 알았다. '지진(地震)'이로구나 하고 나는 중얼거렸다. 그 울림은 하이든의 현악 사중주 '십자가 위의 마지막 일곱 말씀'의 피날레 곡인 '지진'이 분명하였다. 왜 이 순간에 '지진'이 가슴속에 울렸을까 하고 생각하는 다음 순간 나는 고개를 끄덕였다.

십자가에 매달렸던 예수께서 마지막 일곱 말씀 뒤에 돌아가시자 '성소 휘장이 위로부터 아래까지 찢어져 둘이 되고 땅이 진동(震動)하였다(마태 27:51)'고 성경은 증언한다. 하이든의 '지진'은 그때의 상황을 음악으로 표현한 곡이었다. 성소 휘장이 둘로 찢어졌다는 것은 하나님과 인간 사이의 거리(距離)가 없어진 것이라고 신학자들은 말한다. 그때까지의 하나님은 항시 높고 두꺼운 성소 휘장 뒤에 계셨고 보통 사람은 성소에 들어갈 수도 없었다. 그 하나님을 만나기 위해서는 오직 대제사장 한 사람이 일 년에 한 번 목숨을 걸고 휘장을 제치고 들어가야 했다. 그런데 이 휘장을 예수께서 십자가 위에서 자기 몸을 찢으며 돌아가시면서 둘로 찢어버린 것이다. 휘장이 제거됨으로 창세 이래 신(神)과 인간 사이를 갈라놓았던 거리(距離)가 없어진 것이다. 그 후로 사람은 누구나 자유롭게 아무런 거리(距離) 낌 없이 하나님을 대면할 수 있고 만날 수 있게 된 것이다.

지진이 던진 질문

그날 빗속을 걷고 있던 내 가슴속에 하이든의 음악 '지진'이 울렸던 것은 그냥 단순한 우연이 아니었다. 창조주마저 인간과의 관계 개선을 위해 외아들 예수의 목숨을 희생하여 신과 인간의 거리를 없애버렸는데 과연 코로나가 무엇이길래 '사회적 거리 두기'란 이름으로 사람과 사람 사이의 관계를 파괴하고 있는지 음악을 통하여 내게 물은 것이었다. 코로나가 무엇이길래 이제껏 사람들이 만나면 반가워서 가까이 다가가고 손을 붙잡고 흔들고 볼을 비비던 좋은 관계는 사라지고 맞은편에서 사람이 오면 슬슬 피할 준비를 하다 급기야는 계면쩍은 모습으로 멀찍이 떨어져 지나쳐버려야 하는지 내게 물은 것이었다. 빗속을 걸으며 나는 계속 생각에 잠겼다.

얼마나 시간이 걸릴지는 모르지만 코로나는 사라져 갈 것이다. 그리고 누군가의 말대로 AC(After Corona)의 시대를 우리는 살아가야 할 것이다. 그때에 대비하여 우리는 마음의 준비를 해야 할 것이다. 비대면(非對面)의 세상에서 계속 사회적 거리 두기의 비정상적인 관계 속에서 살든지 아니면 어쩔 수 없이 잠시 궁여지책으로 지켰던 거리 두기를 타파하고 다시 정상적인 관계를 회복하여 살 것인지를 결정해야 한다. 우리 인간의 몸은 간사한 것이라서 곧 습관에 물들기 쉽다. 잘못하면 몸이 우리 정신의 주인 노릇을 하려 들 수도 있다. 나부터도 벌써 한 달이 넘게 사회적 거리 두기의 봉쇄령 아래 생활하다 보니 길에서 사람만 만나면 나도 몰래 슬몃슬몃 뒤로 피하고 난 뒤 그렇게 피하게 한 것이 내 의식이 아니라 내 몸이었다는 사실을 깨닫고 놀랬다. 이러다가는 정신보다도 '몸이 세계를 향해 자신의 과제를 실천해 나가는 실존적 주체'라고 주장한 프랑스 철학자 메를로 퐁티(Merleau Ponty)의 주장이 맞아 들어가는 것이 아닌가 생각하며 쓴웃음을 진 적이 한두 번이 아니었다.

BC(Before Corona)와 AC(After Corona)

나는 사람들이 말하는 BC(Before Corona)와 AC(After Corona)의 세상을 믿고 싶지 않다. 역사를 나누는 기원은 BC(Before Christ)와 AD(anno Domini)로 족하다. 조만간 코로나는 사라질 것이다. 오히려 이번 코로나 사태를 반전의 기회로 삼아 지나간 세상의 순수와 사랑을 회복하는 계기가 되었으면 좋겠다. 이십 세기 후반으로부터 시작된 지나친 물질주의와 과학만능주의는 인간의 육신에 많은 편안함을 가져다주었지만 대신 인간의 심성으로부터 너무도 많은 좋은 것을 빼앗아갔다. 이제 다시 그 빼앗긴 것을 찾을 때이다. 한 번에 모든 것을 복구하기는 어렵겠지만 최소한 이번 코로나 사태로 인해 더욱 벌어지게 된 사람과 사람 사이의 거리(距離)가 원상으로 복구되었으면 좋겠다.

코로나 바이러스가 소멸한 뒤에도 이로 인해 벌어져 버린 사람과 사람 사이의 거리가 야기한 사회적 충격은 결코 작지 않을 것이다. 하지만 이번 기회에 우리가 숙고해야 할 또 하나의 거리는 지나간 세기 동안 우리 스스로 키워온 사람과 사람의 관계에 생겨난 보이지 않는 거리이다. 이 거리(距離)의 이름은 프라이버시(privacy) 혹은 사생활이다. 지금처럼 물질의 풍요가 넘치지 않았던 지난 세기의 삶 속의 사람과 사람들 사이에는 거리가 없거나 있어도 무시해도 좋을 만큼의 아주 작은 거리가 있을 따름이었다. 경제적으로 여유가 생기기 시작하면서 사람들은 서로 거리를 두기 시작했다. 어렵던 시절 같이 지내던 식구들이 각자의 방이 생기자 흩어졌다. 부모와 자식 사이가 벌어져 거리가 생겼고 한 방에서 같이 뒹굴며 지내던 형제자매가 각자의 방으로 들어가 헤어졌다. 거실 한가운데 놓여있던 티브이를 보며 같이 웃던 가족들이 각자의 방에서 컴퓨터로 스마트 폰으로 자기만의 시간을 가졌다. '우리'는 없어지고 '나'만 남게 되며 사람과 사람 사이의 거리는 그 사이가 사회이건 직장이건 가족이건 하다못해 부부 사이까지 멀어지기만 했다.

그 거리가 멀어지면서 공유의 미덕은 사라지고 독점의 욕구만 점점 더 강해졌다. 누군가 그 거리를 좁히기 위해 조금이라도 프라이버시 안으로 잘못 들어갔다가 사람들에게서 듣는 비난은 '상처(傷處) 받았다'였다. 그 상처는 가장 가까운 사이에서 오히려 더욱 많이 생겼다. 부모 자식 간에, 부부간에, 사제 간에, 친구 간에, 가까울수록 생기는 상처가 제일 많았고 제일 깊었다. 그 결과로 사람들은 서로 간에 냉담하게 되었고 더욱더 거리를 벌려가게 되었다. 자연의 순리대로 가장 가까워야 할 남녀 간의 거리마저 벌어져 독신을 주장하게 되었고 부모 자식 간의 거리도 멀어지다 못해 아예 자녀를 갖지 않겠다는 사람들이 많아지고 있다. 눈에 보이지 않게 커져버린 이 거리(距離)는 아마도 코로나가 야기한 거리보다 훨씬 더 심각하고 비극적인 거리이지만 사람들은 아직도 이를 간과하고 있는 것이 더 문제인 것 같다.

다시 그 좋았던 시절로

이제 코로나 바이러스가 서서히 진정되고 있는 이 시점에 우리는 침착하게 우리를 가로막고 있는 이 거리(距離)의 문제를 다시 점검하며 그 해결책을 찾아야 할 것이다. 무엇보다도 먼저 지나온 우리의 삶과 우리의 빗나간 역사를 반성해야 할 것이다. 이천 년 전 하나님은 신(神)과 사람과의 거리(距離)를 없애기 위해 스스로를 십자가의 제물로 바치며 성소의 휘장을 찢어버렸다. 그 휘장이 찢어졌기에 우리는 그동안 직접 만날 수 없었던 하나님과 대면할 수 있게 되었다. 하지만 여기에서 간과해서는 안 될 사실이 하나 있다. 성소의 휘장이 둘로 찢어져 내렸지만 과연 맨 처음 그 휘장 안으로 들어갔던 사람은 누구일까? 하나님과 대면은커녕 두려워서 감히 그의 이름도 제대로 부르지 못했던 그 당시의 사람 중 누가 담대하게 목숨을 걸고 휘장 안으로 첫발을 들이밀 수 있었을까? 성경에도 그리고 그 어떤 고대의 문헌에도 맨 처음 성소로 들어간 사람의 이름은 남겨져 있지 않다. 그러나 그 익명의 첫 사람이 있었기에 오늘 하나님과 사람 사이의 거리는 없어졌고 우리는 마음 놓고 하나님을 아버지라고 부르며 그와 대면할 수가 있게 되었다.

코로나가 만들어낸 사회적 거리가 그 옛날 하나님 혹은 신과 인간과의 대면을 가로막았던 성소의 휘장보다 두꺼울 수는 없다. 이제 곧 코로나는 사라질 것이고 또한 봉쇄령도 해제될 것이다. 코로나 바이러스의 두려움 때문에 그리고 봉쇄령 기간 동안 강요되었던 사회적 거리 두기가 습관이 되어 자칫 나와 너의 사이의 거리가 계속해서 멀어져 있다면 그것이야말로 커다란 비극일 것이다. 이천 년 전 찢어진 휘장 안으로 첫 발을 디딘 익명의 사람처럼 우리 모두가 과감하게 사회적 거리 안으로 발을 들이밀어야 한다. 그러기 위해서 우리에게 필요한 것은 그 두껍고 무거운 휘장을 위로부터 아래까지 찢어놓으신 분에 대한 믿음과 우리가 첫발을 내어놓으므로 코로나로 인하여 잠시라도 소원해질 수밖에 없었던 내 이웃에 대한 사랑의 마음일 것이다.

'무슨 생각을 그렇게 하세요? 이제 비가 그쳤어요.'라고 말하는 아내의 말에 나는 정신을 차리고 우산을 접었다. 어느새 비가 멎은 맞은편 멀리 하늘가에 작은 푸르름이 번져 나오고 있었다. 마치 코로나가 사라진 뒤 우리에게 다가올 희망의 색깔 같은 푸르름이었다. 그 푸르름을 바라보며 나는 아내와 더불어 아까보다 가벼운 발걸음을 옮겼다.

2020. 5월 초 석운 씀

아름다운 사람을 만나 아름다운 여행

황거레이 여행의 낙수(落穗)

2년 만에 다시 찾은 황거레이(Whangarei)

2년 만에 다시 찾은 황거레이(Whangarei: 뉴질랜드 북섬 노스랜드의 도시)는 여전히 아름다웠다. 밝은 태양 아래 도시 한가운데를 흐르는 하테아강(Hatea River: 황거레이 도심을 흐르는 강)의 강물은 반짝거렸고 강을 중심으로 여유롭게 자리 잡고 있는 크고 작은 건물들은 서로 잘 어울려서 정겨운 풍경화를 만들어냈다. 터너(Turner: 영국의 풍경화가)가 여기 왔더라면 분명 멋진 풍경화 몇 점을 남겼을 거라는 생각을 하며 나는 타운베이신(town basin) 근처의 주차장에 차를 세웠다. 그리고 아내와 같이 반대편 도심의 번화한 길 쪽으로 걸어 나갔다.

2년 전에 왔을 때 점심 먹을 곳을 찾다가 우연히 들어간 식당이 마침 한국분이 경영하는 곳이었다. 커피도 팔고 빵도 팔고 또 한쪽에서는 퓨전 스타일의 일식 음식을 파는 곳이었는데 근처의 다른 집들에 비해 더 많은 손님이 붐비고 있었다. 낯선 곳에 와서 괜찮은 식당 찾기가 만만치 않았고 사전 정보도 없이 왔었기에 밖에서 봐서 손님이 많은 곳이 괜찮은 곳이라는 아내의 말에 따라 들어간 집이었다. 일하고 있는 종업원들이 동양인들이어서 우리는 태국이나 베트남 사람이 운영하는 곳일 거라고 생각했다.

음식을 시키고 자리에 앉아서 기다리고 있는데 주방 안에서 키 큰 남자 한

분이 나오더니 휘적휘적 우리 쪽으로 다가왔다. 그리고는 "혹시 한국 분들 아니신가요?"하고 물어왔다. "그렇습니다마는,"하고 내가 약간 의외라는 표정을 지으며 답하자 그분은 "아이고 반갑습니다. 안에서 내다보니 꼭 한국 분들 같아서 반가운 마음에 나와봤습니다,"하고 인사를 했다. 그리고는 자기가 그 식당 주인이라며 식사 후에 꼭 커피는 자기가 대접하겠다며 "맛있게 잡수세요,"하면서 다시 주방 안으로 들어갔다.

잠시 뒤에 우리가 시킨 음식이 나왔는데 생각보다 푸짐하였고 입맛에도 맞아서 우리는 아주 맛있게 점심을 먹었다. 아내도 아주 만족했는지 "틀림없이 저분이 우리 음식을 특식으로 만드셨을 거예요,"라고 말해서 나도 그럴 것이라고 고개를 끄덕였다. 종업원이 와서 우리 그릇을 치우자 다시 그분이 우리에게 왔다. "음식이 괜찮으셨나요?"하고 묻기에 내가 "아주 맛있게 먹었습니다,"라고 답하자 "그럼 커피 한 잔 하세요, 우리 집 커피가 꽤나 맛있답니다,"라고 말했다. 그의 친절한 호의에 우리는 기쁜 마음으로 아메리까노와 라떼 커피를 달라고 부탁했다.

얼마 되지 않아 손수 커피를 가지고 온 그분은 우리 탁자에 같이 앉아도 좋겠느냐고 물었다. 예절 바른 그의 태도에 나는 흔쾌히 그러시라고 답했고 그는 잔잔한 미소와 더불어 우리 옆에 앉았다. 그리고 그는 진솔하게 자기소개를 했다. 자기 가족은 황거레이에 와서 산지가 10년쯤 되었는데 이삼 년 전부터 황거레이에 다른 지역 사람들이 몰려들기 시작해서 지금은 인구가 많이 늘었다고 했다. 또한 10년 전에는 한국사람들이 거의 없었는데 요즈음엔 꽤나 많은 한국사람들이 와서 정착했다고 했다. 그렇지만도 식당에 식사하러 오는 한국 분들은 아주 드물기에 자기는 한국 분이

오면 반가워서 꼭 나와서 인사를 한다고 했다.

음식점 주인은 목사님이었다

이야기를 나누는 동안 점심 바쁜 때가 지났고 식당 안의 손님들도 대부분 빠져나갔다. 그제야 틈이 났는지 주방으로부터 한 여자분이 과일 접시를 들고 우리 쪽으로 왔다. "제 집사람입니다,"라고 그는 우리에게 소개하면서 "여보, 인사드려요. 오클랜드에서 오신 분들이야,"하고 부인에게 말했다. 눈이 크고 얼굴이 갸름한 예쁜 아내가 자랑스럽다는 듯한 태도였다. 얼굴 하나 가득 웃음을 담은 부인은 우리를 보며, "늦게 나와 죄송합니다. 이 양반은 한국 분만 보면 이렇게 달려 나와 좋아한답니다,"라고 말하며 남편 옆에 앉았다. 두 사람의 태도가 너무 다정하고 또 구김이 없어 보여 우리도 쉽게 말문이 열려 마치 오랜 친구인 양 이런저런 이야기를 서로 나누었다. 그러다가 자연스레 신앙 이야기가 나왔고 우리가 교회 다니는 사람인 것을 알자 부인이 얼굴이 더 밝아지면서 "사실은 저희 남편이 목사예요,"하며 이곳에 오게 된 자세한 이야기를 했다.

주인 되시는 K 목사는 미국에서 신학을 하고 목회를 했었는데 십여 년 전에 아주 힘든 병마에 시달려서 목회를 접을 수밖에 없었다. 몸이 어느 정도 회복된 뒤 이곳 뉴질랜드로 휴양 목적으로 여행을 왔다가 이 나라가 마음에 들어 아주 이민을 왔다. 번잡한 오클랜드보다는 비교적 한적하고 기후도 온화한 황거레이가 맘에 들어 이곳에 자리를 잡고 살았다. 그때엔 이곳에 한국교회가 없어 집에서 가까운 키위(Kiwi: 뉴질랜드에 정착해 사는 영국인들을 비롯한 유럽인들을 부르는 호칭) 교회에 다니며 예배를 보았다. 교회를 다닌 지 얼마 안 돼서 담당 키위 목사와 가까운 사이가 되었다.

유일한 동양인 가족이기도 했지만 신실한 신앙 태도를 보이는 K 목사 가족에게 담당 목사가 특별한 관심과 세심한 배려를 베푼 것은 어쩌면 당연한 일이었다. 게다가 K 목사가 평신도가 아니라 미국에서 목회까지 했던 목사라는 사실을 알고 난 담당목사는 혹시라도 K 목사가 황거레이에서 목회를 하고 싶은 생각이 있으면 언제든지 교회를 무료로 빌려주겠다는 고마운 제의까지 했다.

그렇지 않아도 회복되는 건강과 더불어 기회만 되면 하나님 섬기는 일을 다시 하고 싶었던 K 목사는 키위 목사의 고마운 제의에 힘을 얻어 이 문제를 놓고 기도하기 시작했다. 그리고 기도 중에 뉴질랜드에서 소외받고 있는 소수민족들을 섬기라는 응답을 받고 다민족 교회를 열었다. 처음 3개월 동안은 목사 내외와 아들까지 셋이서만 예배를 드렸다. 3개월이 지난 뒤 처음으로 이 교회에 들어온 가정이 캄보디아 가정이었다. 그때의 감격과 기쁨을 아직도 생생하게 기억하고 있다고 K 목사 내외는 입을 모았다.

그 캄보디아 가정이 일하고 있었던 음식점이 바로 지금 운영하고 있는 음식점이었다. 이 음식점은 그 당시 운영난으로 비틀거리고 있어 새 주인을 찾고 있었다. 한국이나 미국과는 달리 이곳 뉴질랜드에서는 목회를 해도 일을 하면서 해야 한다고 생각하고 있던 김 목사 내외는 종업원 대부분이 동남아 사람들인 이 음식점이 하나님께서 주시는 기업이라 생각하고 과감히 떠맡았다. 이 음식점에서 일하고 있었던 캄보디아 사람들, 베트남 사람들, 태국 사람들이 얼마 안 있어 교회의 성도가 된 것은 또한 당연한 일이었다. 한 번도 요식업을 해본 경험이 없는 K 목사 내외였지만 기도하면서

성도가 된 직원들과 혼연일체가 되어 일하자 식당에 손님들도 많이 오게 되었고 교회에도 이제는 이십여 가정이 모이게 되었다.

모든 것이 하나님의 은혜

"모든 것이 하나님 은혜이지요."라고 담담하게 미소를 짓는 K 목사의 얼굴은 근엄한 성직자의 얼굴이 아니고 그냥 작은 음식점 주인의 소박한 얼굴이었다. 그 겸손한 태도와 표정에 이끌려 나와 아내도 뉴질랜드에 온 뒤의 우리의 삶과 신앙 여정에 관한 이야기를 풀어놓았다. 별것 아닌 우리의 이야기였지만 끝까지 경청해 주었던 K 목사 내외는 헤어질 때 우리 두 손을 잡고 "알고 보니 믿음도 삶도 저희의 선배님이시네요. 오늘 너무 반가웠습니다. 다음번에 황거레이에 오시게 되면 꼭 다시 들리십시오."하고 차마 손을 놓지 못했다.

그런 아름다운 추억이 있는 황거레이기에 우리 부부가 이번에 다시 황거레이에 오자마자 그분들의 음식점을 찾아 나선 것은 지극히 자연스러운 일이었다. 더구나 점심때가 이미 지나고 있기에 배도 고파서 전에 먹었던 풍성한 덮밥 생각도 간절했다. 아내와 나는 2년 전 기억을 되살려 어렵지 않게 음식점을 찾을 수 있었다. 식당 안은 여전히 꽤나 많은 사람들로 북적거리고 있었다. "전이랑 똑같네요."하는 아내의 말에 고개를 끄덕이며 나는 안으로 들어갔다. 카운터엔 태국인같이 보이는 직원만 있었고 K 목사는 보이지 않았다. 나는 그 직원에게 주인을 만나고 싶다고 이야기했다. 그러자 그는 "미스터 K?"하면서 잠깐 기다리라고 했다. 곧이어 K 목사가 큰 키의 몸을 구부정하게 굽히며 주방에서 나왔다. 내가 "목사님 안녕하세요?"하고 인사를 하자 그는 눈을 크게 뜨고 나를 바라보며, "아니 장로님!"하고 반갑게 내 손을 잡았다. "배가 고파서 밥 먹으러 왔습니다."라고 내가 말하자 그는 활짝 웃으며 우리를 자리로 안내했다.

주문을 하고 식사가 나오는 동안 우린 서로 인사말을 주고받았다. 식사가 나오자 K 목사는 우리가 편히 먹도록 잠깐 자리를 비웠다. 전보다 더 맛있어진 느낌이 드는 덮밥을 후딱 해치우자 기다렸다는 듯이 K 목사가 커피를 가지고 왔다. "장로님은 아메리카노, 권사님은 라떼, 맞지요?" 하며 우리 앞에 커피잔을 내려놓았다. 2년 전에 우리가 주문했던 커피를 그대로 기억하고 계신 목사님의 마음 씀씀이가 향긋한 커피 내음과 더불어 코끝으로 전해져 왔다. 그리고 다시 주방문이 열리더니 과일 접시를 받쳐 든 사모가 우리에게 왔다. "안녕하세요? 반갑습니다. 그렇지 않아도 우리들이 두 분 이야기 많이 했는데 오늘 드디어 오셨네요."하면서 전과 다름없이 얼굴 가득 환한 웃음을 듬뿍 우리에게 나누어 주었다.

우린 여러 가지 이야기를 나누며 웃음꽃을 피웠다. 우린 가능한 K 목사 내외가 많은 이야기를 할 수 있도록 대화의 물꼬를 터나갔다. 교회에서도 음식점에서도 한국 사람을 만날 기회도 한국말로 이야기할 기회도 많지 않은 그분들께 마음껏 기회를 드리기 위해서였다. 다양한 이야기 끝에 나이 든 사람들의 대화가 흔히 그렇듯 자연스레 서로의 자녀들에 관한 이야기가 나왔다. K 목사는 아들이 하나 있는데 얼마 전에 결혼했고 아들 내외가 둘 다 약사인데 호주 시드니에서 아주 좋은 직장에 다니고 있었다. 그러다가 부모님과 같이 있기 위하여 얼마 전에 과감하게 그곳 생활을 정리하고 이곳 황거레이로 왔다. 둘 다 이곳에서 새로운 직장을 마련하고 가까운 곳에 살고 있기에 여간 든든하지 않다고 했다.

"굉장히 착한 아드님이시군요. 시드니의 직장이 훨씬 더 좋은 여건이었을 텐데 그걸 다 포기하고 이곳 부모님 곁으로 오다니요,"라고 내가 말하자 사모가 "네, 정말 착한 애예요. 게다가 이번엔 또 아버지를 위해서,"하고 말을 이어나가려 하자 옆에 있던 K 목사가, "여보, 그 말은, "하며 눈짓으로 하지 말라는 표정을 지었다. 그러자 돌연 사모의 큰 눈이 금방 눈물이라도 쏟아질 것 같이 그렁그렁 해지면서 "그래도 장로님께는 꼭 말씀드려야 할 것 같아요,"하면서 말을 이었다. "사실은 이 양반, 다음 달에 수술하세요,"라고 했다. "아니 건강해 보이시는데 무슨 수술을요?"하고 깜짝 놀란 우리 부부가 거의 입을 모아서 두 분을 번갈아 쳐다보며 물었다. "허, 참, 그 사람, 두 분 걱정하시게 왜 그런 이야기를,"하면서 K 목사는 "저 사람은 이 얘기만 나오면 금방 울려고 해서…… 제가 말씀드려야겠네요," 하고 이야기를 시작했다.

K 목사는 신장기능이 나빠져 약 1년 전부터 신장투석(腎臟透析) 시술을 받아왔다. 한 번 시술에 4시간 이상이 걸리는 투석은 고통도 심하고 또한 시술 자체가 신장의 기능을 회복시키는 것이 아니라 단지 그 기능의 일부만을 대체하는 임시방편이기에 신장이식이 절대적으로 필요했다. 이식하기 위해서는 무엇보다 신장을 기증받아야 하는데 뇌사자(腦死者)의 신장이나 아니면 살아있는 사람의 신장을 받아야 했다. 뇌사자의 신장은 구하기도 어렵고 구했다 하더라도 면역 적합성이 서로 맞아야 하는데 이는 하늘의 별을 따기보다 어렵다. 결국 살아있는 사람의 신장을 기증받아야 하는데 가족 이외의 다른 사람의 신장을 기증받기를 기대하기는 또한 가능성이 거의 없다. 검사 결과 다행히 사모의 신장이 적합하다는 결과가 나와 신장이식 수술 준비를 하고 있었는데 최후 순간의 마지막 점검 과정에서

사모의 신장에서 결석(結石)이 발견되어 이식 불가능 판결을 받았다. 신장 이식 수술에 모든 기대를 걸고 있던 K 목사 내외의 모든 희망이 사라지는 순간이었다.

고난을 사랑으로 이기고

그러자 이번엔 아들이 자기의 신장을 아버지께 드리겠다고 자청하고 나섰다. 아들의 제안은 너무도 고마웠지만 K 목사는 자기가 살겠다고 앞날이 창창한 아들의 신장을 받을 수는 없었다. "아들아, 너무도 고맙다만 아직 시간이 있으니 다른 기증자가 나오기를 기도하며 기다리마,"라고 K 목사는 아들의 제안을 간곡하게 거절했다. 그러나 아들은 이제껏 기다려도 나오지 않았던 기증자가 쉽게 나올 수 없다는 사실을 잘 알고 있었다. 또한 시간이 갈수록 투석을 받는 아버지의 고통은 커지고 수명은 짧아진다는 사실도 알고 있었다. 아들은 아버지 몰래 병원에 가서 검사를 마쳤고 자기의 신장이 어머니의 신장보다도 훨씬 더 아버지에게 이식하기 좋은 적합성을 갖췄다는 사실도 알아냈다. 그리고 신장 기증자가 한쪽 신장만 가지고도 건강과 수명에 조금도 영향이 없고 정상적인 생활을 한다는 여러 가지 자료를 찾아냈다. 만반의 준비가 끝나자 아들은 우선 자기의 아내를 설득했고 아내가 승낙하자 둘이 같이 아버지를 설득하기 시작했다.

아들 사랑과 남편 사랑의 한가운데서 그래도 아들 걱정이 더 커서 처음에는 아들을 말리던 사모도 드디어 마음을 돌렸고 온 가족의 뜨거운 사랑에 K 목사도 급기야 아들의 신장을 받기로 고개를 끄덕였다. 그날 네 가족이 서로 부둥켜안고 한바탕 뜨거운 눈물 잔치를 했다. 특히 사모는 며느리를 끌어안고 "미안하다, 아가야. 그리고 너무 고맙다. 너는 하나님이 보내주신 천사이고 우리 부부는 평생 네 앞에 죄인이다."하며 끝도 없이 울었다고 했다.

K 목사 내외의 이야기가 끝날 때 이번엔 우리 내외가 눈물을 흘리고 있었다. '세상엔 아직도 이렇게 착한 자식들이 있기에 부모들은 모든 어려움을 무릅쓰고 자녀들을 낳아 키우는구나. 세상엔 아직도 이렇게 아름다운 사랑을 삶으로 살아내는 사람들이 있구나. 그렇기에 세상은 아직도 사람들이 희망을 가지고 살아갈 수 있구나.'하는 생각이 가슴속 깊은 곳에서 샘물처럼 솟아올랐다. 자식을 위해서 몸의 일부 아니 전부라도 희생하는 부모는 많이 있다. 그러나 부모를 위해서 자기 몸의 일부라도 떼어내는 자식은 요즘 세상에선 너무도 찾기 어려운 것이 사실이다. 정말 전래 동화 속에서나 찾아볼 수 있는 이야기를 바로 눈앞의 K 목사 내외에게 들으며 우리는 흐르는 눈물을 감추려 하지도 않았다.

"다음 달 19일이 수술 날이어요. 기도 부탁드려요. 하나님께서 기도의 역군이 더 필요하다고 장로님 내외를 오늘 저희에게 보내 주신 것 같아요." 라고 말하는 사모의 두 손을 아내가 꼭 잡았다. "그럼요. 우리가 이번 여행을 남으로 갈까 북으로 갈까 하다가 어쩐지 북으로 오고 싶어 황거레이에 들렸는데 모두 하나님의 인도하심인 것을 오늘 깨달았습니다. 하나님께서 이렇게 아름다운 목사님 가정을 결코 저버리지 않으실 것을 확신합니다." 하고 아내가 한마디 한마디에 힘을 주며 말했다. 나도 K 목사의 두 손을 찾아 힘껏 잡았다. 하지만 목이 메어 아무 말도 할 수 없었다. 둘의 눈길이 부딪쳤고 서로 바라보는 눈길 속에 많은 것이 담겨있었고 또 녹아내렸다.

잠시 후 우린 두 분의 배웅을 받으며 식당을 나왔다. 걷다가 뒤를 돌아보고 손을 흔들고 또 걷다가 아직도 서있는 두 분에게 그만 들어가라고 손을 흔들며 우리는 차를 향했다. 자동차는 얌전히 우리를 기다리고 있었고 그 앞에 흐르는 하테아 강물은 여전히 아까와 다름없이 반짝거리고 있었지만 우리 부부의 눈에 보이는 세상은 아까보다 훨씬 신선하고 아름다웠다. 우린 차에 올랐고 목적지인 황거레이 헤드를 향해 차를 몰았다.

"오늘이 여행 첫날이지만 저는 마치 여행을 마치고 돌아가는 느낌에요. 이미 이번 여행에서 보고 들어야 할 것을 다한 느낌이 드는 것이 왜지요?" 하며 아내가 아직도 물기에 젖은 큰 눈을 반짝이며 나를 보고 말했다. "나도 동감이오. 아름다움을 찾아 떠나는 것이 여행인데 오늘 만난 아름다움보다 더 큰 아름다움이 어디 더 있겠소?"하고 나도 아내의 말에 동의했다.

그렇게 시작된 2박 3일의 황거레이 여행은 시종 아름다웠다. 몇 차례 가본 곳이었지만 보는 곳마다 새로웠고 만나는 사람마다 사랑스러웠다. 그리고 아내와 나는 아침저녁으로 다음 달 19일에 있을 K 목사의 수술을 위해 기도하였다.

2019. 5월 석운 씀

향수(鄕愁), 언제나 나를 품어 주는 고국을 찾으며

영원한 그리움의 대상, 고국

'그곳이 차마 꿈엔들 잊힐리야'는 정지용의 시 향수(鄕愁)에서 반복되는 구절이다.

시(詩)가 워낙 좋아 노래로도 작곡되어 모두가 애송하고 있지만 고국에서 사는 사람들은 '그곳이 차마 꿈엔들 잊힐리야'라는 구절이 이국 땅에서 사는 사람들의 가슴속에 불러일으키는 그 애틋한 그리움을 이해하지 못할 것이다. 고국, 그곳은 타향살이를 하는 모든 이에게 영원한 그리움의 대상이다. 나에게도 예외는 아니었다. 힘들 때는 힘이 들어서, 기쁠 때는 기뻐서, 고국 생각이 났다.

'고개 들면 밝은 달이 보이고(擧頭望明月) 고개 숙이면 고향이 생각난다(低頭思故鄕)'고 읊은 이백(李白)과 같은 심정이 되어 멍하니 어두운 하늘을 우러러보며 불면의 밤을 보내는 일이 한두 번이 아니었다.

그런 밤마다 글을 끄적거렸고 그러다가도 못 견디면 짐을 꾸려 고국 행 비행기를 탔다.

구월이 되면

가슴 속에 일렁이는 고국의 가을 바람

구월이 되면 내 마음은 어느덧 고국을 향해 있다.

고국을 떠나 이곳 지구 반대편 남반구의 작은 나라 뉴질랜드에 삶의 둥지를 튼 지 벌써 이십여 년이 넘었다. 하지만 구월이 되면 고국을 향하는 몸과 마음을 나 스스로 어쩔 수가 없다. 구월이 되면 이곳 뉴질랜드에는 햇살이 따뜻해지고 어디선가 불어오는 봄바람이 꽃향기를 실어오지만 내 가슴속에서는 이미 고국의 스산한 가을바람이 일렁이며 한 잎 두 잎 떨어져 내리는 낙엽을 실어온다.

그렇게 한 잎 두 잎 실려 온 낙엽들이 가슴속에 쌓이기 시작하면 켜켜이 쌓인 낙엽들 사이로 지나간 과거의 추억들이 꿈틀거리며 고개를 들고 나온다. 어린 시절 뛰놀던 골목길도 보이고 그 골목길에 어둠이 내리면 전봇대 꼭대기에서 환히 빛을 내뿜던 가로등도 보이고 그 빛줄기 속으로 여기저기 얼굴을 들이미는 옛 동무들 생각이 나면 나는 그만 새어 나오는 탄식을 참기 위해 입을 다물어야 한다.

해마다 구월이 되면 가슴속에서 고국의 가을바람이 일렁거리기 시작하고 나는 최면에 걸린 양 주섬주섬 짐을 꾸린다. 그리고 아내의 손을 잡고 고국 행 비행기에 몸을 싣는다. 고국엔 모퉁이 모퉁이 내 추억을 되살려주는 정다운 곳들이 있고 고국엔 언제 찾아도 날 반겨주는 형제들과 친구들이 있다. 그렇기에 고국은 고국을 떠나 있는 나에게는 언제나 사무침의 존재이다. 구월이 되면 그 사무침이 극에 달하여 나는 몽유병 환자처럼 고국을 향하여 날아간다.

그 옛날 시선(詩仙)이라던 두보(杜甫)는 봄이 되어도 고향에 갈 수가 없어 향수(鄕愁)라는 시에서 '올봄도 또 이렇게 지나가니 언제 고향에 갈 날이 오랴(今春看又過 何日是歸年)'라고 탄식했다지만 그에 비하면 비행기 표를 손에 들고 며칠 뒤면 고국에 도착해 고국의 가을을 만끽할 꿈에 젖어 있는 나는 너무도 행복하기만 하다.

이제 사흘 뒤면 고국 행 비행기를 타게 되는 이 저녁에도 내 가슴속에선 일렁거리기 시작한 고국의 가을바람이 점점 더 세차지고 있어 나는 잠을 들 수가 없었다. 내가 오기를 기다리는 고국의 친구들과 카톡으로 대화를 주고받고 이번에 가면 만나야 할 사람들과 들려야 할 곳들을 다시 챙겨보는 사이에 밤이 제법 깊어졌다. 그렇지만 가슴속 가을바람은 잠자코 있지를 않기에 나는 잠이 들 수 없었다. 아니 나는 이미 고국의 어느 청명한 가을 들판에 서서 온몸으로 바람을 맞고 있었다. 아 바람이여 내가 사랑하는 내 고국의 가을바람이여 그 바람을 가슴으로 받아내며 나는 무언가를 쓰고 있었다.

이 가을에 바람이 불면

이 가을에 바람이 불면
나는 허허로운 가을 벌판의 한 그루 나무이다
바람에 몸을 맡기고 잎사귀들을 떨구는 나무이다

잎사귀를 떨구며 잎사귀를 떨구며

나는 온몸을 활짝 비우고

내 안에서 여름을 보냈던 새들은 나를 떠난다

새들을 떠나 보내며

나는 내 고국을 꿈꾼다

까마득한 그 옛날 가을바람을 타고 그곳에서

내가 날아와 여기 뿌리를 박았던

그 고국으로 나는 새들과 같이 날아가고 싶다

지금 이 허허로운 벌판
바람은 불고 내 가슴은 벌판보다 더 비어 가고
몇 개 남지 않은 잎사귀들마저 떠날 채비를 하는 지금
나도 떠나고 싶어 한다
새들을 따라 바람을 따라
가슴속 깊은 곳에 있는 시원(始原)의 고국으로

이 가을에 바람이 불면
내 가슴속엔 더 큰 바람이 일렁거리고
바람보다 먼저 나는 허허로운 가을 벌판의 한 그루 나무가 된다
마지막 잎사귀마저 떨어지면
온전히 벗은 몸의 나를 끌고
나는 부끄럼 없이 옛날의 그곳으로 돌아가고 싶다

그곳
바람이 일렁이면 내 가슴속에 생겨나는 곳
내 가슴속의 영원한 고국

2018. 9월 석운 씀

'시월의 어느 멋진 날에'

우정은 기적을 낳고

지난 2017년은 제가 고등학교를 졸업한지 50년 되는 해였습니다. 그리고 그 해 11월에 동창들이 모여 졸업 50주년 자축연을 가졌습니다. 다같이 힘을 모아 마련한 자축연이기에 재미있고 유익한 순서가 많았지만 그 중에 압권은 단연 네 명의 동창이 부인들과 함께 나와 '시월의 어느 멋진 날에'를 노래한 순서였습니다. 노래가 끝나자 모두가 일어나 열렬히 박수를 치며 성원했지만 이는 결코 노래를 잘 불렀기 때문만은 아니었습니다.

고등학교를 졸업한 뒤에도 50년 세월 속에 계속되는 이들 네 명 동창의 변함없는 우정은 모든 동창들 사이에서 유명했습니다. 이들의 사이가 너무 좋았기에 부인들도 친해져서 부인들의 사이도 남자들 사이 못지않게 좋았습니다. 그랬기에 졸업 50주년 행사를 주관하는 동창들이 이들 네 명에게 부인들과 같이 나와 행사 중에 노래를 한 곡 불러달라는 특별 요청을 한 것입니다. 네 명중에 두 명은 한국에 있었고 한 명은 미국에 한 명은 뉴질랜드에 있었지만 이들은 쾌히 응낙하고 그 해 시월에 한국에 모였습니다. 무슨 노래를 할까 서로 의논하다가 '시월의 어느 멋진 날에'를 부르기로 했습니다. 오랜 만에 같이 모인 네 부부는 매일 같이 만나 회포를 풀고 또 노래 연습도 했습니다. 하지만 그들의 가슴 속엔 커다란 슬픔이 있었습니다. 한국에 있는 친구 하나가 바로 얼마 전에 건강진단을 받았는데 뜻밖에 폐암이 발견되었기 때문입니다. 게다가 암의 전이 상태도 아주 안 좋았기에 그들의 슬픔은 컸습니다. 네 부부가 같이 모인 것은 사실 50주년 행사보다 오히려 아픈 친구를 만나 위로하기 위함이었습니다.

네 부부는 모일 때마다 아픈 친구를 위해 기도하고 또 노래 연습도 했습니다. 이들이 '시월의 어느 멋진 날에'를 택한 이유는 그 가사 때문이었습니다.

눈을 뜨기 힘든 가을보다 높은 저 하늘이 기분 좋아
휴일 아침이면 나를 깨운 전화 오늘은 어디서 무얼 할까

창밖에 앉은 바람 한 점에도 사랑은 가득한걸
널 만난 세상 더는 소원 없어 바램은 죄가 될 테니까

가끔 두려워져 지난밤 꿈처럼 사라질까 기도해
매일 너를 보고 너의 손을 잡고 내 곁에 있는 너를 확인해

창밖에 앉은 바람 한 점에도 사랑은 가득한걸
널 만난 세상 더는 소원 없어 바램은 죄가 될 테니까

살아가는 이유 꿈을 꾸는 이유 모두가 너라는 걸
네가 있는 세상 살아가는 동안 더 좋은 것은 없을 거야
10월의 어느 멋진 날에

노래를 연습하다가 '너'라는 가사가 나오면 모두가 아픈 친구를 바라보며 노래를 부르다가 자연스레 그를 둘러쌌습니다. 그리곤 '매일 너를 보고 너

의 손을 잡고 내 곁에 있는 너를 확인해....... 네가 있는 세상 살아가는 동안 더 좋은 것은 없을 거야'라고 큰소리로 외치다가 그만 눈물을 터뜨린 적이 한 두 번이 아니었습니다.

이렇게 연습해서 졸업 50주년 자축연에 나온 네 부부의 노래였기에 어느새 이들의 사연을 알아버린 동창들이 그렇게 열렬히 박수로 성원해 주었던 것입니다.

시월의 어느 멋진날에...

여러분도 올 시월에는 여러분이 아끼는 누군가를 생각하며 이 노래를 듣고 또 불러보시기 바랍니다. 바리톤 김동규의 노래가 좋습니다. 아래 링크를 클릭하셔 들으셔도 됩니다.

https://youtu.be/eCeuluoS5pA

노래를 부르다가 '네가 있는 세상 살아가는 동안 더 좋은 것은 없을 거야' 라는 가사가 나오면 아픈 친구를 위해 눈물을 글썽이며 노래를 하던 네 부부를 생각하시면 더욱 이 노래가 좋아질 것입니다.

그런데 얼마 전에 뉴질랜드로 기쁜 소식이 전해 왔습니다. 친구들의 기도 덕분이었을까요 아니면 다같이 목놓아 부른 '시월의 어느 멋진 날의 노래' 덕분이었을까요? 길어야 6개월에서 일년 밖에 못 살 것이라는 예상을 뒤엎고 아픈 친구의 암세포가 거의 사라져 거의 정상에 가까운 상태로 돌아온 것입니다. 괴롭고 지루한 4년여의 암 투병을 옆에서 지켜본 담당의사는 단지 기적이라는 말 이외에 달리 설명할 길이 없다고 친구의 손을 잡으며 축하했다고 합니다.

기적을 체험한 네 친구의 우정은 더욱 돈독해졌습니다. 비록 떨어져 살고 있지만 지금도 매주 금요일 12시(뉴질랜드 시간)가 되면 네 명의 칠십 노인들은 그룹 페이스톡으로 모여 한바탕 수다를 떨면서 다가올 졸업 60주년 자축연 때는 다시 '시월의 어느 멋진 날의 노래'를 부를 것을 기약하곤 합니다.

코로나와 록다운으로 답답하고 힘든 요즈음이지만 아무리 어려운 상황에서도 우리가 서로 사랑하면 기적이 일어날 수 있다는 사실을 믿으시며 '시월의 어느 멋진 날의 노래'를 멋지게 부르시기 바랍니다.

2021.10월 석운 씀

양재천(良才川)에서 칸트를 만나다

우리는 철학을 배울 수 없고 오직 철학하기만을 배울 수 있다

가을 오후 양재천(良才川)을 걷다

11월도 며칠 남지 않은 어느 토요일 오후에 아내와 같이 양재천(관악산에서 시작되어 서울의 서초구와 강남구를 가로질러 흐르는 개천)의 산책로를 걸었다. 근래 들어 우리나라의 가장 큰 걱정거리가 된 미세먼지가 보통보다 나쁘다는 경고가 있었던 날이었지만 생각보다 많은 사람들이 산책로를 오가고 있었다. 눈에 보이지 않는 미세먼지의 위협보다는 눈을 꽉 채우고 들어오는 늦가을 아름다운 양재천의 유혹이 훨씬 강했나 보다. 지하철 학여울역에서 시작되는 맨 위 편 산책로 양쪽엔 감나무들이 많았다. 가지마다 주렁주렁 감이 매달려있는 감나무들은 가을 풍경에 정점을 찍어주는 아름다움이다. 배고프던 옛날 같으면 잎사귀도 거의 다 떨어져 버린 가지에 동그마니 매달려있는 감이 남아있을 새가 없었겠지만 풍요의 시대에 가장 풍요로운 지역에선 새들도 배가 고프지 않은지 감은 가지마다 주홍빛 장신구 인양 가을 햇볕 속에 빛났다. 은행나무들은 지난밤 분 바람에 많은 잎사귀들을 떨구고 속옷 차림의 여인처럼 수줍은 모습으로 도열하고 있었고 떨어진 은행잎들은 수도 없이 많은 노랑의 모자이크처럼 서로 겹치고 얽혀서 산책로를 완전히 덮고 있었다.

은행나무와 벚나무 그리고 단풍나무와 플라타너스가 서로 시합이라도 하듯 저마다의 다른 색깔과 모양으로 지나는 사람들의 눈길을 사로잡았다.

우리도 그 화려한 아름다움에 취해 한참을 걷다가 위 편 산책로에서 아래로 내려와 냇가 바로 옆에 조성된 보행로를 걸었다. 오후의 햇살 아래 반짝이며 흐르는 냇물을 보다 가까이 쳐다보며 걷고 싶어서였다. 오리들이 짝을 지어 여유롭게 물 위를 떠다녔고 그들로부터 한참 떨어진 곳에서는 흰 두루미 한 마리가 나는 너희들과는 격이 다르다는 듯 긴 목을 우아하게 세우고 조용히 서있었다. 냇가의 양 옆에는 함께 모여서 장관을 이루는 갈대와 억새들이 약속이라도 한 듯 모두 흰머리를 뒤로 돌려 우리를 맞아주었다.

칸트의 산책길

칸트의 산책길

가을 풍경을 만끽하며 나와 아내는 천천히 아주 여유롭게 걸었다. 한들거리며 손을 흔드는 한 떼의 코스모스에게 눈인사를 하며 지나자 다시 왼쪽으로 핑크 뮬리의 붉은 물결이 우리의 눈길을 사로잡았다. 그 고운 색깔과 몸짓에 한참이나 빠져있다가 겨우 정신을 차리고 나와서 시민의 숲 쪽으로 다시 발길을 옮겼다. 얼마 걷지 않아 우리는 '칸트의 산책길'이라고 쓰인 푯말을 보았다. '칸트의 산책길이라니, '하고 내가 화살표 방향으로 머리를 돌리자 나무 판을 이어 만든 작은 산책길이 바닥에 깔려있었고 그 길 위에 커다란 동그라미의 출입구를 가진 정사각의 철판이 서있었다. 동그라미 출입구를 통해 그 안쪽 맨 끝에 놓인 벤치에 동상이 하나 앉아있는 것이 보였다. 앉아있는 동상이 칸트일 것이라 생각하며 우리는 동상을 보러 동그라미 안으로 들어갔다.

다리를 겹치고 단정하게 앉아 책을 펼쳐 들고 있는 동상은 역시 칸트였다. 비록 동상이었지만 그의 앞에 서자 나는 거의 삼백 년 전 그가 태어났던 시절로 돌아가는 느낌을 받았다. 지금은 역사의 뒤안길로 사라진 프로이센이라는 나라에서 태어나 독일 철학의 초석이 되었고 오늘날의 사상가들에게까지도 지대한 영향을 미치고 있는 그가 지금 이 양재천의 냇가에 앉아서 지나가는 우리들에게 무슨 말을 하고 싶을까 하는 생각이 들었다.

평생을 그가 태어난 도시 쾨니헤스베르크를 벗어난 적이 없이 규칙적인 생활을 하면서도 엄청난 학문의 성취를 이룬 그를 생각할 때 별안간 내가 너무 부끄러워졌다. 태어난 나라가 너무 좁고 복잡하다고 아이들의 교육을 위해서 떠나는 것이 좋다고 이런저런 구실을 만들어 다른 나라에 가서 살며 틈만 나면 세계의 이곳저곳을 돌아다니며 살았지만 아직도 아무것도 이룬 것이 없는 나는 평생을 고향을 떠나지 않고도 심오한 사상의 세계를 구축한 칸트를 생각할 때 비록 동상 앞에서이지만 머리를 들을 수 가 없었다. 온몸을 휩싸고 지나가는 그 오후 가을바람은 분명 싸늘했겠지만 그 바람 속에 선 나는 가슴속에서 계속 솟아나는 부끄러움과 회한으로 식은땀을 흘리고 있었다.

철학을 배울 수 없고 오직 철학하기만을 배울 수 있다

그렇게 서있는 내가 측은해 보였던지 문득 동상이 내게 무슨 말을 하는 것 같았다. 무슨 말씀을 하고 고개를 드는 내 머릿속에 '우리는 철학을 배울 수 없고 오직 철학하기만을 배울 수 있다'고 한 칸트의 유명한 말이 떠올랐다. 전에 책에서 읽었던 적이 있던 그 말은 그날 그의 동상 앞에서 유난히 머릿속을 울리며 맴돌았다. '철학을 배울 수 없고 오직 철학하기만을 배울 수 있다'는 그의 말을 다시 입 속에서 읊조리며 나는 과연 오늘날 철학이 우리의 삶에서 차지하는 역할은 어떤 것인가를 생각해 보았다. 이어서 과연 철학은 오늘날 우리의 삶 속에 존재하기라도 하는 것인가라는 의문이 떠오를 때에 그냥 절로 고개가 가로저어졌다. 학교에서 가르치는 철학 그리고 요즈음 베스트셀러의 서가에서 쉽게 발견되는 인문학 책들에서 논의되는 철학은 과연 칸트가 이야기한 철학과 얼마나 가까운 것일까 하는 생각도 들었다.

'철학하기만을 배울 수 있다'는 칸트의 말은 아마도 철학이 삶의 현장에서 이루어져야 한다는 말일 것이었다. 대학의 강의실에서 아니면 인문학 서적 속에서 발견되는 철학은 고대의 그리스 철학에서 시작하여 현대의 포스트 모더니즘에 이르기까지 숱하게 출몰하였던 철학자들의 이름과 그들의 이론을 요약해 놓은 것들이 대부분이다. 그것들을 읽고 외우려 하면서 우리는 철학을 배운다고 생각하지만 칸트는 '우리는 철학을 배울 수 없다'라고 말했다. 철학은 역사가 아니기에 철학자들의 이름과 그들의 이론을 답습하는 것은 철학이 아니기에 철학을 배울 수 없다고 했을 것이다. 철학하기를 배운다는 것은 우리의 삶 속에서 그들의 이론을 적용하여 왜 그들이 그런 이론에 도달하게 되었을까 하는 의문을 품고 그 의문에 대한 사색을 시작한다는 뜻일 것이다. 철학이 원래는 삶의 일인데 언젠가부터 잘못되어 우리의 삶과는 동떨어진 먼 곳에서 외롭게 서있게 되었을 것이다.

여기까지 생각이 미치자 별안간 나는 다시 현재의 나의 위치를 가늠해 보았다. 뉴질랜드로 옮겨가 그곳에 삶의 둥지를 튼 지 이십여 년이 지났지만 아직도 온전히 자리를 잡지 못하고 가을만 되면 향수병에 걸려 고국을 찾으면서도 삶의 본질을 파악하고 있지 못한 나는 그야말로 나이 든 철부지에 불과하다는 생각이 들었다. 철학이 바로 삶이라는 것을 깨달은 칸트는 살아생전엔 고향을 떠나지 않고도 이론을 정립하여 많은 사람들의 삶에 영향을 끼치고 죽은 뒤에는 동상이 되어 비로소 여러 나라에 가서 만나는 사람들로 그들의 삶을 성찰하게 만들고 있었다. 나는 다시 한번 옷깃을 여미고 이제 그만 가겠다고 칸트에게 눈인사를 하고 돌아섰다. 저만치 흩날리는 갈대밭 속에서 내가 오기를 기다리던 아내가 내게 손짓을 했다.

"칸트에게 강의 들으셨나 봐요, 그렇게 불러도 안 오시고, "하며 내가 가까이 가자 아내가 추운 표정으로 말했다. "어, 미안해요. 뭣 좀 생각하느라고 그만, "하고 얼버무리며 나는 아내의 작은 어깨를 감싸 안고 시민의 숲 쪽으로 발길을 옮겼다. 걸으면서 나는 이번 여행이 며칠 남지 않았다는 생각을 했다. 빨리 뉴질랜드로 돌아가고 싶어졌다. 돌아가면 이제는 여행을 좀 자제하고 칸트처럼 내가 살고 있는 동네를 규칙적으로 산책하며 사색에 빠지고 싶었다. 그리고 그곳에서 보다 치열한 삶을 살고 싶었다. 나는 철학도가 아니라 철학은 잘 모른다고 그동안 생각해 왔었는데 '철학하기만을 배울 수 있다'는 칸트의 말에 힘입어 삶 속에서의 철학을 할 수 있다는 생각도 들었다. 또 내가 그렇게 좋아하는 문학도 음악도 결국은 삶을 이야기하고 노래하는 것이라는 깨달음도 새삼 다시 왔다. 이제 돌아가서는 더욱 열심히 살면서 삶을 통해서 책도 보고 음악도 듣고 글도 쓰자고 마음속으로 다짐했다.

늦가을 양재천 산책로에서 만난 칸트가 그날 오후 내게 던져준 말없는 가르침은 참으로 귀한 것이었다.

2018년 11월 석운 씀

기다리는 마음

거미에게 배우다

흘림골 산길의 거미줄

기다리는 마음

설악산
흘림골 산길을 걸었다
오색약수까지 길은 멀기만 한데

비는 부슬부슬
안개는 자욱

큰비 만나기 전
빨리 가야 할 터인데
땅만 보고 걷다
문득 고개를 드니
허공을 가로지른 거미집
한가운데 거미 한 마리

왜 그리도 급하세요
귓가에 들려오는
거미의 속삭임
비가 와도 안개가 껴도
전 기다리고 있지요
언젠가는 절 찾아올
그 누군가를

행여 거미줄 다칠까
조심스레
옆걸음으로 지나며
거미에게 배운
기다리는 마음

오색약수 남은 길이
한길 가벼웠다.

흘림골 계곡 길

몇 해 전 중국에서 발발하여 전 세계로 퍼져나간 코로나(코비드 19)의 위력은 대단했습니다. 세계에서 가장 깨끗한 나라인 뉴질랜드마저도 코로나로 인해 큰 어려움을 겪었습니다. 정부와 국민이 힘을 합해 예방과 치료에 힘써 좀 좋아지나 하다가도 돌연 사태가 다시 나빠져 봉쇄령 수위가 올라가는 상황이 반복되는 가운데 불안에 떨며 살아야 했습니다.

국민들의 궁금증도 해소해 주고 또 경각심도 일깨워 주기 위해 매일 오후 1시가 되면 티브이와 라디오에서 코로나에 관한 특별 뉴스가 나왔습니다. 그때마다 우리는 발표되는 확진자 수의 증감에 일희일비했습니다. 그러면서도 내일은 좋아질 것이라는 작은 희망을 붙들고 서로를 다독거리며 또 내일을 기다렸습니다. 코로나가 한창이었던 그날도 티브이 앞에서 1시 뉴스를 기다리다가 저는 문득 몇 년 전에 한국에 갔다 들렸던 설악산 흘림골 계곡 길이 생각났습니다.

아내와 같이 흘림골에서 오색약수까지 걸었는데 중간쯤 왔을 때 별안간 하늘에 구름이 모이는 것이 보였습니다. 그러더니 곧 바람이 불고 안개가 끼고 드디어 비까지 부슬부슬 내리기 시작했습니다. 비에 대한 준비가 없었기에 우리는 마음이 급해져 걸음을 재촉했습니다. 큰비는 아니었지만 불안한 마음이 들자 경치도 눈에 안 들어왔고 땅만 보고 급히 걸었습니다. 그러던 어느 순간 큰 나무 밑을 지나며 문득 고개를 들어 하늘을 보았을 때 내 눈을 꽉 채우고 들어온 것은 허공에 걸려있는 거미줄이었습니다.

이 또한 지나가리라

거미줄 한가운데 거미 한 마리가 있었습니다. 의젓하게 자리 잡고 있는 거미는 바람도 안개도 비도 개의치 않는 태연한 모습이었습니다. 오히려 허겁지겁 걷는 우리 부부를 안쓰러운 눈으로 내려다보는 것 같았습니다. 나는 옆에 있는 아내의 손을 잡았습니다. “여보 우리 천천히 갑시다. 큰비는 안 올 것 같으니까.” 거미줄과 나를 번갈아 보던 아내가 미소로 답했습니다. 우리는 행여 거미줄 다칠까 조심스레 옆걸음으로 지나쳤습니다. 위의 시(詩)는 흘림골 계곡 길을 무사히 걷고 났던 그 저녁 오색약수 숙소에서 쓴 것입니다.

한낱 미물에 불과한 거미도 날씨와 상관없이 기다릴 줄 알았습니다. 그날 우리 부부가 거미에게 배운 것은 기다리는 마음이었습니다. 살다 보면 이런저런 힘든 날을 겪을 수밖에 없지만 우리는 모두 기다리는 마음을 가져야 할 것입니다. 조심하며 서로 돕고 지혜롭게 행동하며 기다리면 그 옛날 솔로몬이 ‘이 또한 지나가리라’고 말했듯이 힘든 날은 물러가고 좋은 날이 올 것입니다.

2020. 8월 석운 씀

나무와의 대화

전주 덕진공원에서 만난 나무

전주에 갔다.

먼 옛날 군 복무하던 시절 휴가를 맡으면 달랑 장교 신분증 하나 주머니에 찔러 넣고 서울역에 나와 -아직 고속버스가 없던 시절이었다- 기차 시간을 보곤 행선지와 상관없이 제일 빨리 탈 수 있는 기차를 집어 타고 이곳저곳 다녔었다. 젊은 그때나 나이 든 이때나 역마살이 끼여있긴 마찬가지였나 보다. 그때 어느 여름날 호남선을 타고 남으로 내려가다 다시 시외버스로 갈아타고 무심코 들려 하룻밤을 잤던 기억이 아직도 머릿속에 남아있는 도시가 전주이다.

사십여 년이 지난 올해 이번엔 혼자가 아니라 아내의 손을 잡고 만추의 가을에 호남을 돌아다녔다. 여기저기 다니다 여행 끝무렵에 군산에서 이틀밤을 자고 사흘 째 되는 아침에 시외버스를 타고 전주로 향했다. 버스를 타기 전부터 내리기 시작한 함박눈을 보며 아내는 어린 소녀처럼 즐거워했다. 마음이 들뜨기는 나도 마찬가지였다. 이십여 년이 넘도록 눈이 안 내리는 나라에 살다가 와서 맞는 눈이니 비록 나이가 들었어도 반갑기 그지없었다.(이 글을 쓸 때 필자는 뉴질랜드에 살고 있었다) 우리가 좋아하는 것을 보고 옆에 앉은 아주머니가 올해 첫눈이라고 말해 주었다. 첫눈이라는 말에 우린 둘 다 더욱 흥분했다. 버스 창 밖으로 눈은 계속 내리고 있었고 우린 목소리가 커지는 것도 모르고 마음껏 눈에 얽힌 옛이야기를 나누었다. 아침나절이라 버스 안에 승객이 많지 않았던 것이 다행이었다.

버스에서 내려 택시를 타고 예약해 놓은 한옥마을의 숙소에 가서 짐을 맡긴 뒤 점심을 먹으러 갔다. 눈은 계속 쏟아졌고 숙소에서 알려준 전주비빔밥을 잘하는 음식점을 찾아 걸어가는 길은 마치 설국(雪國) 속의 여행길 같았다. 주먹만 한 눈송이가 앞이 안 보일 정도로 내리는 길을 걸으며 나는 문득 백석의 시가 생각났다. '눈은 푹푹 나리고 아름다운 나타샤는 나를 사랑하고 어데서 흰 당나귀도 오늘 밤이 좋아 응앙응앙 울을 것이다.' 라는 시구(詩句)를 머릿속으로 외우며 나는 아내의 손을 꼭 잡았다.

숙소 주인이 알려준 종로회관이란 음식점은 역사가 오래된 집이었다. 태조 이성계의 어진(御眞)이 보관되어 있는 경기전(慶基殿)의 돌담을 끼고 난 옆길에 자리 잡은 집이었는데 음식도 정갈하고 맛있었지만 창 밖 풍경은 더욱 일품이었다. 경기전의 돌담 위로 소복하게 쌓여가는 흰 눈, 가지 위로 쌓이는 눈 무게에 겨워 더욱 고개를 숙인 담벼락 안의 늙은 소나무들, 눈이 와서 더욱 흥겹다는 듯이 짝을 지어 지나가는 한복 차림의 젊은 남녀들-이 모두가 합하여서 한 폭의 그림이었다. 우리 부부도 그 그림 속의 일부가 되어 맛있게 점심을 먹었다.

전주 한옥마을엔 생각보다 볼거리도 또 역사적으로 배울 거리도 많았다. 경기전, 정동 성당, 오목대와 이목대, 향교 등등 모두가 시간과 관심을 갖고 보고 듣고 생각할 것이 많은 곳들이었다. 아내와 나는 수학여행 간 학생들처럼 열심히 다니면서 보고 또 문화재 해설위원들의 이야기에 귀를 기울였다. 그렇게 꼬박 이틀을 한옥마을의 구석구석을 돌아다니고 사흘째 되는 날은 아침 식사 후에 전주의 또 하나의 명물인 덕진공원을 향했다. 덕진공원에 간 김에 공원에서 가까운 곳에 있다는 최명희 작가의 혼불문학공원도 들리고 싶었기 때문이었다.

덕진 공원 입구의 나무

덕진공원은 생각보다 컸다. 연꽃이 만발할 때가 가장 아름답다는 덕진공원의 연못엔 비록 연꽃은 다 지고 없었지만 늦가을 이곳저곳에 흩날리는 갈대의 무리들과 더불어 공원의 풍경은 곱게 나이 든 초로의 미인처럼 아름다웠다. 공원의 구석구석 아름답지 않은 곳이 없었지만 덕진공원에서 맨 처음 나의 눈길을 사로잡은 것은 공원 입구를 들어서자마자 서있었던 늙은 나무 한 그루였다. 두 갈래로 땅에 뿌리를 박고 있는 몸통은 긴 세월을 어찌 견뎌냈는지 뼈만 남은 노인네의 정강이 같았다. 그나마 늙은 가죽이 터서 속살이 삐져나오는 느낌이었는데 그 쇠약한 몸통 위로는 다시 몇 개의 가지들이 뻗어 나왔고 그 가지들에선 다시 수없이 많은 잔가지들이 새끼 쳐 나왔고 그 잔가지들은 제각기 채 떨구지 못한 가을 마지막 나뭇잎들을 잔뜩 지고 있었다.

그 나무를 보는 순간 나는 가슴이 철렁하는 것을 느꼈다. 그 나무가 무슨 나무인지 그 이름도 모르지만 그렇게 서있는 나무는 내게 무언가를 생각하도록 만들었다. 마치 그 나무와 닮은 누군가를 기억의 뒤안길에서 생각해 내려는 듯 아니면 그 나무와 비슷한 운명에 놓인 어느 역사적 사건이 머릿속을 섬광처럼 오가는 듯 나는 잠깐 그 나무 앞에 섰었다. 그러나 무언가를 꼭 집어서 생각해 낼 수는 없었다. 가슴 한구석이 허허로워 늦가을 찬바람이 드나드는 느낌이 들면서 머릿속은 왠지 정리가 안 되었지만 그런 느낌을 계속 지닌 채 덕진공원을 둘러보았다.

공원을 거의 다 둘러보았을 때 너무도 조용한 내 태도가 이상했던지 "무슨 일 있으세요?"하고 아내가 조심스럽게 물어왔다. 나는 선잠에서 깨듯 정신을 차렸다. 그리고 미안한 마음으로 아내에게 답했다. "무슨 일은? 공원이 하도 예뻐서…… 자 이제 우리 혼불문학공원으로 건너갑시다." 나는 아내의 손을 잡고 공원의 후문 쪽을 향했다. 때마침 후문을 통해 젊은 남녀들이 몇 명 몰려들어왔다. 아마도 가까운 전북대학교의 학생들이었을 것이다. 싱그러운 그들의 젊은 모습이 늦가을 햇볕 속에 빛났다. "우리도 한때는 저랬겠지?" 하며 나는 아내의 어깨를 감싸고 그들의 곁을 지나쳐갔다.

그 저녁 잠들기 전에 나무를 생각하며 시를 한 편 적어보았다.

나무와의 대화

세월(歲月)마저 너를 비껴갔구나
너의 뒤틀림은 기묘한 몸짓
나무야
너를 비껴간 세월은 모두 어디 있는가

가을도 이미 떠난 공원
초겨울 이른 추위를 뒤틀린 그 몸으로 받아내며
나무야
너는 가장 낮은 몸짓으로 그 자리에 서있구나

너는 알고 있다
네 주위의 키 크고 곧은 나무들의 운명을
나무야

그들은 사라져도 너는 이 자리에 남아있을 것이다

너의 뒤틀림은 알고 있다
살아남기 위한 쓸모없음(無所可用)의 쓸모를
나무야
그렇게 너는 세월을 비껴갈 줄 알았구나

내 다시 너를 찾을 때
그때도 너는 지금 같은 낮은 몸짓으로 나를 맞겠지
나무야 나무야
내가 너를 찾을 수 없을 때도 너는 여기 있겠지

너의 낮은 몸짓을 배우고 싶다

2017 겨울 전주에서 석운 김동찬

*이 나무가 장자(壯者)의 '장석(匠石)의 역사수(櫟社樹)'를 생각나게 했나 봅니다. 그 느낌을 써봤습니다.

가을 숲 속에서

혼불 문학공원을 내려오며

최명희 작가의 혼불 문학공원

얼마 전 전주에 갔다가 최명희 작가의 혼불 문학공원을 찾았습니다. 가을이 한참 깊어져 갈 때였습니다. 작가의 묘소가 안치되어 있는 공원이라 찾았지만 건지산(乾止山) 자락에 자리 잡은 이 문학공원은 들어가는 입구와 묘역 주변이 너무도 아름답습니다.

1947년에 태어난 최명희 작가는 1980년 신춘문예에 '쓰러지는 빛'으로 등단하였고 1981년 동아일보 장편소설 공모전에 '혼불'로 공모하여 당선되었습니다. 나중에 '신동아' 잡지에 연재되어 대단한 선풍을 일으킨 '혼불'은 최명희의 대표작으로 불립니다. 앞날이 기대되었던 작가는 불행히도 암(癌)이 발병하여 51세의 나이로 결혼도 못 하고 세상을 떠났습니다. 작가의 짧은 생애만큼이나 단아한 느낌을 주는 이 공원은 문학에 관심이 없는 사람들에게도 들려볼 것을 권하고 싶은 만큼 아름답습니다. 묘소에서 내려오면서 다시 작가의 생애를 생각했습니다. 나와 거의 동년배의 이 작가는 여인의 몸으로도 치열한 작가정신으로 51년의 짧은 삶 속에서 훌륭한 작품을 남겼습니다. 70이 넘게 살고 있는 너는 무엇을 하고 있느냐는 듯 마침 불어온 초겨울 찬 바람이 얼굴을 때리고 지나갔습니다. 바람도 찼지만 나를 더욱 춥게 만든 것은 바람의 질책에 아무 대답도 못하고 있는 스스로에 대한 차가운 자책감이었습니다.

이런 생각을 하며 다시 한번 묘소 쪽으로 몸을 돌렸을 때 눈을 꽉 채우고 들어온 것은 가을 나무와 골짜기, 그리고 땅을 뒤덮고 있는 잎사귀들이 한데 어울려 만들어 낸 색깔이었습니다.

세상 모든 것을 다 잊게 만드는 그 화려한 색깔에 취해 한참이나 서있을 때 머릿속에 떠오르는 문구가 있었습니다. '서부진언 언부진의(書不盡言 言不盡意)'라는 주역(周易) 계사상전(繫辭上傳)의 구절이었습니다. '글은

말을 다 하지 못하고(書不盡言), 말은 뜻을 다 하지 못한다(言不盡意)'는 이 말씀을 분명 최명희 작가는 알고 있었을 것입니다. 아는 정도가 아니라 감수성 예민하고 글쓰기에 삶을 바치기로 한 그녀에게 이 문구는 어쩌면 커다란 고통으로 가슴속에 담겼을 것입니다.

살아생전 그녀는 '다만 저는, 제 고향 땅의 모국어에 의지하여 문장 하나를 세우고, 그 문장 하나에 의지하여 한 세계를 세워보려고 합니다. 한없이 고단한 길이겠지만, 이 길의 끝에 이르면 저는, 저의 삶과, 저 자신이, 서로 깊은 이해를 이루기를 바랍니다.'라고 말했습니다. '문장 하나에 의지하여 한 세계를 세워보려고'하였기에 그녀는 혼신을 다하여 글을 썼습니다. 1988년부터 1995년까지 무려 7년 2개월 동안 월간지 '신동아'에 혼불을 연재하며 작품에 쏟아부은 그녀의 노력은 초인적이었습니다. '나는 원고를 쓸 때면 손가락으로 바위를 뚫어 글씨를 새기는 것만 같았다.'라는 그녀의 고백은 작품을 쓰기 위한 어휘 하나하나를 찾아내고 빚어내기 위한 그녀의 작품에 대한 애정과 노력을 말해줍니다.

이런 그녀의 작품 정신이었기에 캐내도 캐내도 뜻을 다 하지 못하는 말(言不盡意)과 목숨을 바쳐 써도 말을 다 하지 못하는 글(書不盡言)은 그녀에게 창작의 도구이자 또한 다루어도 다루어도 어딘가 미진한 아쉬움이었을 것입니다. 이 아쉬움이 쌓여 급기야 그녀의 몸 한구석에서 암(癌)이 되어 퍼져나갔고 그녀는 장편 '혼불'을 미완으로 남겨놓고 51세의 아까운 나이에 세상을 떠났습니다. 그녀의 삶은 짧았지만 '혼불 하나면 됩니다. 아름다운 세상입니다. 참 잘 살다 갑니다'라고 말했던 그녀는 작품을 통해 이야기하려고 했던 '혼불'의 진정한 의미를 삶으로 우리에게 보여줍니다.

'혼(魂)불'은 사람의 혼을 이루는 바탕입니다. 죽기 얼마 전에 사람의 몸에서 빠져나간다고 하는데 최명희 작가의 혼불은 그녀가 그렇게 애착을 갖고 공을 들였던 장편 '혼불'이 완성되기 이전에 글을 쓰다 기진한 그녀의 몸에서 빠져나간 것 같습니다.

여기까지 생각하다가 고개를 들어 다시 가을 골짜기를 뒤덮고 있는 잎사귀들이 빚어낸 색깔을 보았을 때 입 속에서 나도 모르게 튀어나온 말이 언부진색(言不盡色)이었습니다. 나무는 겨우내 숨죽이고 생명을 지키고 있다가 봄이 되면 싹을 틔우고 여름엔 마음껏 잎을 내다가 가을이 되면 사람에게서 '혼불'이 빠져나가듯 모든 잎을 내려놓습니다. 입이 없기에 말(言)을 할 수도 없고 손이 없기에 글(書)을 쓸 수도 없는 나무는 잎을 떨구기 전 말과 글 대신 색깔(色)로 모든 잎사귀를 물들여 내려놓았기에 지금 최명희 작가의 묘소를 받치듯 둘러싼 계곡이 이렇게 아름다울 것입니다.

어떤 말로도 어떤 글로도 이 아름다운 색깔이 우리에게 주는 느낌을 제대로 표현할 수 없을 것이라는 생각이 들었기에 무심코 '말이 색깔을 다 하지 못한다는 의미의 언부진색(言不盡色)'이라는 생경한 단어가 내 입 속에서 튀어나왔을 것입니다. 몸을 돌려 공원을 내려오면서 나는 생각했습니다. 글쓰기를 좋아하지만 아직도 변변한 작품 하나를 못 내놓았다고 자책하지 말자. 가을 계곡에 잎을 떨구는 나무가 아무런 욕심 없이 잎을 내려놓았지만 말로 다할 수 없는 아름다운 색깔의 극치(言不盡色)를 이루었듯 나도 삶을 지키고 욕심을 버리고 열심히 글을 쓰면 그 속에서 언젠가는 최명희 작가의 '혼불'과 같은 작품도 나올 수 있을 것이라는 생각이 들었습니다.

그날 혼불 문학공원을 내려오면서 머릿속에 떠오르는 대로 적어 본 것이 아래의 시(詩)입니다.

언부진색(言不盡色)

세상의 모든 색깔이 다 모였구나
가을도 이미 떠난 숲속
조기울 추위가 온 숲을 휩싸버렸는데
아랑곳없이 아랑곳없이
차가운 대지 위에서
색깔 잔치를 벌이고 있구나

이 가을
떨어져 쌓여있는 잎사귀들이여
색깔로 세상의 모든 말을 뒤덮는구나
언부진색(言不盡色)*
너희들 앞에서
나는 분득 벙어리가 되고 싶다

2017. 12. 13 서울에서 석운

너 저렇게 웃을 수 있어?

온몸으로 웃는 여인의 함박웃음

협심증과 스텐트(stent)

두 달 전 오월에 오클랜드 근교의 산에 올랐다가 갑자기 가슴이 답답해지고 숨이 막혀서 그 자리에 주저앉았다. 한참을 쉬었다가 엉금엉금 기다시피 내려와 병원을 찾았더니 협심증이라고 했다. 다시 심장 전문의를 만나 정밀 검사를 한 뒤 결국 심장 근처의 혈관에 스텐트(stent)를 두 개나 주입하는 시술을 받았다. 시술이 끝난 뒤 의사는 스텐트를 주입한 사람들도 정상적인 생활에 문제가 없고 수명에도 지장이 없다고 말했다. 나는 의사의 말을 믿었다, 그리고 믿으려고 노력했다. 하지만 내 속에는 나 이외에 내가 제어할 수 없는 또 하나의 '나'가 있었다. 그 '나'는 시시로 내 머릿속에 나타나 '너는 이제 정상인이 아니야. 너의 삶은 이젠 끝나가고 있어,'라고 속삭였다. 나는 그 속삭임을 무시하려고 노력했지만 조금만 몸에 이상이 오면 그 불길한 속삭임은 다시 나를 찾아왔다.

뉴질랜드의 칠월은 한겨울이다. 비가 많이 오고 날씨도 우중충하며 춥다. 시술을 받은 지 얼마 안 돼서 그런지 그해 칠월은 유난히 춥게 느껴졌고 몸이 안 좋을 때가 많았다. 그럴 때마다 나는 내 속의 다른 '나'의 말이 맞는 것같이 느껴졌다. '정말 나는 이제 정상인이 아닐까? 이런 식으로 내 삶이 끝나가는 것이 사실일까'하는 생각에 사로잡히면 허탈감과 무력증에 빠지는 경우가 많았다. 도저히 그런 상태로 겨울을 견뎌낼 자신이 없어서 아내와 같이 한국으로 갔다. 한국의 칠월은 한여름이니 추위보다는 더위가 한결 나을 것 같고 또 고국에 가면 분위기가 바뀌어서 우울한 마음에서 벗어날 수 있을 것 같았다.

한국에 와서 큰딸 집에 있으면서 손주들과 시간을 보내고 또 가까운 친척과 친구들을 만나 회포를 풀면서 기분이 많이 좋아졌다. 한번은 몇 명의 동창과 만나 이야기를 주고받다가 내가 두 달 전에 스텐트를 주입했다고 하자 두 명의 동창이 자기들은 이미 몇 년 전에 나와 비슷한 증상으로 스텐트를 주입했다고 했다. 그러면서 아직 건강에 아무런 이상이 없고 정상적인 생활을 하고 있다며 나를 안심시켰다. 그러면서 기분 전환에는 여행이 제일 좋다면서 기왕 한국에 왔으니 한 곳에만 있지 말고 이곳저곳 돌아다니라고 권했다. 옛날과 달리 한국의 지방이 많이 좋아져서 의외로 가볼 곳이 많다며 특히 여름철엔 강원도 일대가 좋을 것이라고 했다.

양양 오일장에서

그렇지 않아도 한국에 온 김에 여기저기를 다녀보고 싶던 나는 아내와 같이 강원도로 떠났다. 맨 처음 간 곳은 설악산이었다. 까마득한 옛날 신혼여행을 왔던 곳이기에 설악산에 오면 언제나 아름다웠던 추억이 묻어 나온다. 사흘을 설악산에 머물면서 여유롭게 돌아다닌 뒤 양양으로 내려왔다. 양양에서 며칠 머물며 주변 명소들을 둘러볼 생각이었다. 오후 늦게 설악산을 떠났기에 양양에 도착했을 때는 이미 저녁때가 다돼서 우선 숙소를 구한 뒤 저녁을 먹고 밤을 지냈다. 다음 날 아침 일어나 아침 식사를 하러 나가려고 하자 숙소 주인아저씨가 오늘 마침 양양 오일장이 열리는 날이니 가보면 좋을 것이라고 알려주었다. 재미있을 것 같으니 가서 구경도 하고 거기서 아침도 먹자고 하는 아내의 말에 나도 솔깃해서 숙소에서 멀지 않은 장터를 찾아갔다.

장이 열리는 남대천 주차장에는 차들이 빼곡히 서 있었다. 차에서 나와 벌써 걷고 있는 사람들을 따라 남대천을 끼고 걸으며 나는 문득 해마다 남대천으로 돌아온다는 연어 생각을 했다. 남대천은 우리나라로 돌아오는 연어의 70% 이상이 이곳으로 돌아오는 강이다. 남대천에서 태어나 머나먼 바다로 나갔다가 몇 년간 성장한 뒤 갖은 고생 끝에 다시 남대천으로 돌아와 산란을 한 뒤 삶을 마감한다는 연어 생각을 하며 나는 사람보다 낫다는 느낌이 들었다. 연어는 산란을 하기 위해 죽음을 무릅쓰고 태어난 고향인 남대천으로 돌아오는데 사람인 나는 해야 할 일은 제쳐놓고 건강만 걱정하며 시간을 보내고 있다는 부끄러운 마음이 들었다.

이른 아침이었지만 몇 시부터 시작되었는지 둑길 따라 걸어가는 사람들이 엄청 많았다. 곧이어 시작되는 오일장에는 파는 사람들과 그 사이를 돌아다니는 손님들로 북적북적했다. 나물을 파는 할머니로부터 가지각색 과일을 파는 상점, 꽃집, 보기만 해도 침이 도는 먹거리 등등, 장터는 도시의 말쑥한 백화점이나 쇼핑몰과 달리 시끌벅적하면서도 사람 냄새로 그득했다. 바삐 돌아다니는 사람들의 활기찬 모습에 나도 기운이 나는 느낌이었다.

온몸으로 함박 웃는 아주머니

우선 한 바퀴 돌아보며 아침을 먹자는 아내의 말 따라 좀 더 발길을 내밀다가 나는 장터의 한가운데서 함박 웃고 있는 아주머니 한 분을 만났다.

그 순간 나는 가슴이 시원해지면서 무언가가 몸 한가운데를 관통하며 쑤욱 빠져나가는 느낌을 받았다. 아주머니의 함박웃음은 참으로 순진무구한 웃음이었다. 아무런 조건 없이 마음껏 웃는 웃음이었다. 그 웃음을 보면 누구라도 같이 따라 웃고 싶은 웃음이었다. 나도 웃고 싶었다. 그러나 혹시라도 아주머니가 민망해하실까 웃지도 못하며 아주머니를 자세히 살펴보았다.

(*이 사진은 삼순이 아주머니의 허락을 받고 실은 사진입니다)

멀리 떨어져 있었기에 나는 아주머니가 파는 물건이 무엇인지 몰랐다. 하지만 물건을 담은 손수레를 휘감은 광고 문구에 '정선장터 명물 삼순이'라고 쓴 것을 보니 멀리 정선에서부터 물건을 팔러 오신 것이 분명했다. 정선에서부터 양양까지 오려면 새벽 일찍 나오셨을 텐데 피곤한 기색도 없고 여기저기 장날을 쫓아다니며 장을 보러 다니자면 결코 쉽지 않은 삶일 텐데 어떻게 저렇게 호쾌하게 웃으실 수 있을까 생각할 때 나는 절로 옷깃을 여밀 수밖에 없었다.

조금 뒤 나는 아내의 손을 잡고 다시 장터를 돌았다. 심한 허기를 느꼈다. 아주머니의 호쾌한 웃음에 몸에서 무언가 빠져나간 느낌이 들었기에 그렇게 배가 고팠는지도 모르겠다. 아내와 같이 장터 한쪽에서 아침으로 잔치국수를 먹으며 나는 세상에서 제일 맛있는 국수를 먹는 기분이었다. 두 달 전 스텐트를 심은 뒤 떠났던 입맛이 돌아오는 순간이었고 그렇게 끈질기게 머릿속을 떠돌던 '불안한 속삭임'이 떠나간 순간이었다.

그 웃음, 장터 아주머니의 그 호쾌하고 순진무구한 웃음, 앞으로 언제든 삶이 힘들어질 때 나는 그 웃음을 생각하며 극복할 것이라고 다짐하며 그날 장터에서 돌아와서 시(詩)를 한 편 썼습니다.

너 저렇게 웃을 수 있어?

양양 오일장에 갔다
사람 사는 냄새와 소리 그리워
찾아간 장터
이곳저곳을 기웃거리다
이 여인의 함박웃음을 만났다.

순간

내 머릿속 장터엔
사람도 냄새도 소리도 사라지고
여인의 함박웃음만 남았다

너 저렇게 웃을 수 있어?
너 저렇게 웃어본 적 있어?
뒷짐 지고 구경이나 하는 너는 평생 저렇게 못 웃어!

나는 웃깃을 여몄다
나는 평생을 못 웃어 본 함박웃음을
온몸으로 웃고 있는 여인에게
고개가 숙여졌다

장터엔 다시 사람 사는 냄새와 소리 그득했다.

2020.8월 석운 씀

추신: 이 글을 읽는 독자 여러분! 소문만복래(笑門萬福來)라는 말을 믿으시고 이제부터는 언제나 장터의 이 아주머니와 같이 함박 웃으며 행복하게 사세요.

양재천(良才川)을 걸으며

나를 비추는 거울은 결국 나 자신이었네

아침마다 양재천(良才川)을 걸었다.

양재천은 과천 관악산 기슭에서 시작되어 서초구와 강남구를 가로질러 개포동까지 흐르는데 지난 90년대부터 냇물을 따라 생태공원이 조성되었고 그 양쪽 냇가 길이 아주 성공적인 산책로로 모습이 바뀌어 시민들의 사랑을 받고 있는 강남의 명소이다. 약 3년 전에 큰 딸네가 강남으로 이사를 왔기에 한국에 오면 딸네 집에 머무는 우리 부부도 아침마다 이곳으로 산책을 나온다. 아파트에서 나와 5분쯤 걸으면 양재천을 만나는데 개천의 오른쪽으로 가면 도곡동을 지나 시민의 숲 쪽으로 가게 되고 왼쪽을 택하면 영동 5교 쪽으로 가다가 한강과 합류하는 방향으로 가는 데 어느 쪽을 택하건 모두 훌륭한 산책길이다. 양쪽의 산책로 한가운데를 흐르는 냇물은 제법 넓고 깊어서 물고기들도 많고 물도 꽤나 맑아서 때때로 주변에 사람들이 없을 때는 제법 호젓한 기분을 느끼게 해 준다. 여하튼 숨이 막힐 것만 같은 강남 한구석에 이런 훌륭한 휴식처가 있다는 것은 너무도 고마운 일이었고 특히 뉴질랜드와 같은 자연 지향적인 나라에서 온 우리 부부에게는 아침마다 하루를 살아갈 생기를 불어넣어 주는 곳이었다.

그날 아침도 날이 밝자 아내와 더불어 아파트를 나왔다. 딸네 집에 키우는 강아지도 같이 데리고 나왔다. 일 년에 한 번 만나는 강아지이지만 어찌나 우리를 잘 따르는지 아침 산책엔 꼭 데리고 나왔다. 앞서거니 뒤서거니 꼬리를 치며 따라다니는 강아지가 있기에 우리 부부의 아침 산책은 심심하지 않았다. 그날따라 하늘은 높았고 냇가 양쪽에 도열하듯 심어진 버드나무들은 그 풍성한 머리채를 마음껏 앞으로 숙여 인사를 하듯 우리를 맞았다.

양재천의 돌 징검다리

“송사리가 꽤 많아요, "하고 강아지와 더불어 먼저 징검다리를 건너던 아내가 냇물 한가운데의 돌 위에 서서 내게 말했다. "아, 그래! 어디 봐요, " 하면서 다가가 나도 물속을 들여다보았다. 아내의 말대로 맑은 물속에선 작은 송사리 떼가 무리무리 지어 한가롭게 몰려다니고 있었다. 이 복잡하고 혼탁한 도심의 한가운데로 냇물이 흐른다는 것도 감사한데 그 속에서 깨끗한 물에서만 산다는 송사리 떼를 보고 있자니 여러 가지 감회가 가슴속을 오갔다. 한참을 들여다보고 있자니 송사리 떼들은 어느덧 사라졌고 물속에선 수많은 얼굴들이 떠올랐다. 조금 뒤 모든 얼굴들은 사라지고 낯익은 사내 얼굴 하나만 남아있었다. 그 사내의 얼굴 위로 잔잔히 흐르는 물결과 더불어 지나간 세월의 그림자도 같이 흘렀다. "뭐 하세요? 그만 오세요." 벌써 냇물을 건너간 아내의 목소리에 정신을 차리고 나도 내를 건넜다. 냇가를 따라 벋어 나간 산책길에는 좀 전보다 많은 사람들이 걷고 있었다. 그 사람들 속에 섞여 나도 아내도 양재천의 아침을 걸었다.

그리고 집에 돌아와 시를 한 편 적었다.

그 아침에 냇가를 걸으며

그 아침에 냇가를 걸으며
나는 물만 보았네
흐르는 물을 보며 난 생각했네
무감어수(無鑑於水) 감어인(鑑於人)

냇가를 걷는 많은 사람들
나를 비춰 볼 사람은 누구일까
둘레둘레 둘러보았지만
난 만날 수 없었네 날 비춰줄 그 누군가
그래 난 다시 생각했네
무감어인(無鑑於人) 감어수(鑑於水)

나는 다시 물을 들여다보았네
이윽고 물속에서 떠오르는

누군가의 얼굴 얼굴 얼굴……

그중에 나를 닮은 얼굴 하나

그 아침 흐르는 냇물 속에서 나는 나를 찾았네

무감어수(無鑑於水) 감어기(鑑於己)

나를 비추는 거울은 결국 나 자신이었네.

무감어수(無鑑於水) 감어인(鑑於人)

거울이 흔치 않던 옛날에 물은 거울 대신이었다. 그러나 물에 비치는 나의 모습은 겉모습일 뿐이다. 그래서 내 참모습 혹은 속모습을 보려면 물 대신 사람들의 마음에 비친 나를 보라고 춘추전국시대의 사상가였던 묵자(墨子)가) '무감어수(無鑑於水) 감어인(鑑於人)'이라고 말했을 것이다. 참으로 귀한 말씀이지만 오늘의 현실에서 이 말씀을 그대로 받아들이기엔 상황이 많이 바뀌었다.

물(水)은 묵자의 시대나 오늘날이나 변함이 없지만 사람들(人)은 변하였기 때문이다. 나의 참모습을 보기 위해서는 나를 비추어 줄 사람들이 올바른 거울이어야만 할 것이다. 하지만 요즈음엔 사방을 둘러보아도 올바른 거울 역할을 할 사람들이 눈에 뜨이지 않는다. 어디나 비슷하지만 이런 불행한 상황이 가장 극명하게 드러나는 곳이 정치판이다. 나라와 국민을 위해 일하겠다는 사람들이 입만 열면 상대방을 욕하기에 바쁘고 뒷구멍으로는 사리사욕을 채우기에 바쁘다. 소위 사회의 지도층에 있다는 그들의 행태를 보면서 과연 저들 중의 누구를 나를 비추어 줄 거울로 삼아야 할까 생각할 때 대답이 나오지 않는다.

이러한 사람들에게, 그리고 나에게도, 자신의 참모습을 보기 위해서는 사람들에게 비추어보기(鑑於人)'보다 우선 스스로를 돌아보며 깨달아야 한다는 생각이 들어 위에 쓴 졸시(拙詩)의 마지막을 '무감어수(無鑑於水) 감어기(鑑於己)'로 할 수밖에 없었다. 그날 아침 양재천 흐르는 물속에서 떠오르는 수많은 얼굴 속에서 끝내 만난 얼굴이 나였기에 "나를 비추는 거울은 결국 내 자신이었네'라고 고백한 것이었다.

2016. 10. 7 석운 씀

나팔꽃 그리고 수선화

워즈워스(William Wordsworth)의 시심(詩心)을 떠올리며

딸네가 아이들 교육 때문에 강남으로 이사 온 뒤에 우리 부부도 한국에 오면 좋든 싫든 서울의 강남에서 머물러야만 했다. 삼십여 년 전 뉴질랜드로 이민 가기 전의 우리 가족의 삶의 터전은 집도 회사도 모두 강남이었지만 나이 들어 다니러 돌아온 강남은 우리 부부에게는 몸에 안 맞는 새로운 유행의 옷처럼 별로 마음에 와닿는 곳이 아니었다. 하늘 높은 줄 모르고 뻗어 올라간 고층 빌딩과 아파트 군 그리고 휘황찬란한 쇼핑몰들은 저마다 사람들의 눈길을 빼앗고 있지만 우리에게 강남이란 맨 흙을 찾아볼 수 없는 아스팔트와 시멘트의 거리일 따름이었다. 그 거리를 꽉 채우고 시도 때도 없이 눈을 부릅뜨고 달려드는 자동차의 무리들, 그 사이를 용케도 비집고 다니며 한 손엔 커피 잔 다른 한 손엔 스마트 폰을 잡고 어딘가를 향해 바삐 움직이는 사람들, 그리고 이 모든 것들이 쏟아내는 엄청난 생활하수를 감당 못하는 곳곳의 하수구들로부터 풍겨 나오는 역한 냄새, 그 어느 하나도 우리 부부를 반겨주지 않았고 우리도 쉽게 그 안으로 들어갈 수 없었다.

"그땐 우리 어떻게 이런 강남에서 살았지?" 하고 내가 혼잣말하듯 아내에게 묻자 "그땐 이렇게 복잡하지 않았지요. 차들도 훨씬 적었고요."하며 아내가 조심스럽게 한마디 덧붙였다. "애들한텐 아무 말씀 마세요. 젊은 사람들은 이런 델 좋아해요." 하며 내 눈치를 살폈다. "알았어요. 우린 잠깐 있다 갈 텐데 뭐 좀 참으면 되지." 하고 아내의 속내를 아는 나는 아내를 안심시켰다. "다행히 우리에겐 양재천이 있잖아. 아침마다 우리 속을 시원하게 뚫어주는 양재천!"하고 내가 말하자 "맞아요. 그 양재천마저 없었다면 참 견디기 어려웠을 거예요,"하며 아내도 맞장구를 쳤다.

한국에 온 그 다음날 새벽부터 우리 부부는 양재천을 중심으로 양쪽 냇가에 마련된 산책길을 걷기 시작했다. 이곳에 와보지 않은 누구에게라도 권하고 싶을 만큼 양재천의 산책길은 잘 조성되어 있다. 한가운데로 널찍하게 흐르는 냇물을 사이에 두고 가장 낮은 곳엔 2차선의 도로가 마련되어 있어 자전거와 사람이 서로 방해받지 않고 다닐 수 있고 그보다 사람 키 둘 정도 높은 곳으로 좁다란 산책 전용로가 마련되어 있어 혼자서 혹은 둘이서 호젓하게 걷고 싶은 사람들은 이 길을 이용하면 되고 다시 그 보다 사람 키 셋 정도 높은 곳에 사람 대여섯이 함께 다녀도 될 정도로 넓은 산책 전용로가 있어 그 길에서는 삼삼오오 이야기를 나누며 같이 다닐 수도 있다. 한쪽에 3차선(자전거 도로까지 합하면 4차선)의 높이가 다른 도로가 냇물을 중심으로 양쪽에 있으니 모두 6차선의 도로이다. 냇물을 중심으로 잘 정돈된 나무와 풀밭 사이로 벋어 나간 6차선의 산책로는 그 어디서 보아도 그 자체만으로도 장관이다. 더더구나 산책로 곳곳에 가꾸어 놓은 꽃밭, 여기저기 잘 설치해 놓은 운동기구들, 거기 매달려 운동하는 사람들의 모습들은 합하여 날로 발전하고 있는 한국의 모습을 보여주는 산책길로 손색이 없었다.

그날 새벽에도 동이 트자 곧 우리는 양재천을 걷기 위해 아파트를 나왔다. 양재천을 걷는 아침마다 우리를 맞아주는 한국의 가을 날씨는 정다웠다.

미세먼지와 황사의 위협에도 불구하고 초가을 한국의 아침 공기는 아직 신선하였고 해가 떠오르려고 하는 아침 하늘은 아이들을 내려다보는 어머니의 얼굴만큼이나 맑기만 했다. "오늘은 우리 반대편으로 걸어봐요."라고 말하는 아내의 제안에 그날 아침에 우리는 늘상 가던 오른쪽의 도곡동 쪽 산책로 대신 왼쪽의 잠실 쪽 산책로를 택했다. 한 십오 분쯤 걸었을까 머리 위를 지나는 고가차도를 지나기 위해서는 밑으로 내려가는 계단을 따라 내려가야 했는데 계단을 다 내려가 오른쪽으로 돌자 돌연 내 눈을 찌르듯이 들어온 광경은 오른쪽 비탈길을 꽉 채운 나팔꽃의 무리였다. 아, 그때의 반가움과 예상치 않았던 기쁨이라니!

양재천 비탈길의 나팔꽃

양재천의 산책길은 훌륭하였지만 어떤 곳들은 지나치게 인위적인 것이 사실이었다. 한가운데를 흐르는 냇물이나 양쪽으로 조성된 산책길이나 그 길 양 옆에 세워진 나무들이나 길 곳곳에 만들어진 꽃밭들이나 모두가 보기 좋았고 잘 어울렸지만 무언가가 조금 과장된 느낌이라 간혹 자그마한 거부감이 느껴지는 것이 사실이었다. 아마도 그런 마음을 갖고 있었기에 그날 아침 비탈길에서 만난 나팔꽃의 무리가 그렇게도 반갑고도 신선하게 느껴졌을 것이다. 혼자서는 결코 자신이 없다는 듯이 머리에 머리를 맞대고 아니면 잎사귀 속으로 숨다 숨다 터져 오르는 부끄러움을 더 이상 어쩔 수 없어 서로 같이 얼굴을 드러낸 듯한 한 무리의 나팔꽃이 내게 안겨준 감동은 너무도 산뜻하고 소박한 것이었다.

"어떻게 이런 곳에 이렇게 소담스럽게 피어난 나팔꽃이 있지요?" 하고 같이 발걸음을 멈춘 아내가 독백하듯 내게 물었다. "그러게 말이오. 이 번화한 강남에서 돌연 화장도 안 한 맨 얼굴의 순전한 시골 색시를 만난 기분이 드는데......" 하면서 나는 말을 다 마치지 못하였다. 바로 그 순간 번개같이 내 뇌리를 스치고 지나가는 시 한 구절이 있었기 때문이었다. 까마득한 옛날 학창 시절에 즐겨 애송하였던 윌리엄 워즈워스(William Wordsworth: 영국의 낭만주의 시인)의 수선화라는 시(詩)였다.

수선화

'골짜기와 산 위에 높이 떠다니는 구름처럼 외로이 헤매고 다니다가
나는 문득 무리 지어 활짝 피어있는 황금빛 수선화를 보았나니
호숫가 나무 아래서 산들바람에 한들거리며 춤추는 모습을
-----중략-------
홀가분한 마음으로 생각에 잠겨 자리에 누워있을 때면 가끔

내 마음속에 수선화의 모습 떠오르니 이는 고독이 주는 축복이라

그때 내 가슴은 기쁨으로 가득 차서 수선화와 더불어 춤을 춘다'

낭만주의의 하늘을 구름처럼 떠돌며 영국의 평원을 방랑하다 한 무리의 수선화를 만난 워즈워스의 시심(詩心)을 번잡한 서울 강남의 인공의 냇가 비탈길에서 만난 한 무리의 나팔꽃이 주는 반가움과 감히 비교도 할 수 없겠지만 그 아침 내가 만난 한 무리의 나팔꽃이 워즈워스의 황금빛 수선화만큼 내게 감동을 준 것은 여하튼 사실이었다.

매년 고국을 찾을 때마다 이번엔 꼭 만날 사람만 만나고 너무 많이 돌아다니지도 말고 가능한 여유로운 시간을 갖겠다고 다짐하고 오지만 막상 오면 왜 그렇게 만날 사람도 많고 가봐야 할 곳도 많은지 처음 얼마 동안은 거의 정신이 없다. 이제는 바쁜 일정도 거의 마쳤으니 오늘 저녁부터라도 잠들기 전에 홀가분한 마음으로 생각에 잠기는 시간을 가져야겠다. 그러다 보면 수선화의 시인이 그랬듯이 나도 마음속에 이 아침에 본 나팔꽃의 무리가 떠오르는 축복의 시간을 가질 수도 있을 것이다. 그때면 나도 워즈워스처럼 기쁜 마음으로 모든 것을 잊고 나팔꽃과 더불어 춤을 추고 싶다.

2016. 11 석운 씀

그들이 법을 만든다

노르웨이 시인 올라브 하우게의 철학하는 마음

선거가 끝난 뒤에

2024년 4월10일. 제22대 대한민국 국회의원 선거가 막을 내렸다.

4년마다 한 번씩 홍역처럼 치러지는 선거지만 2024년의 선거는 본격적 유세가 시작도 되기 전에 공천 자리를 놓고 벌이는 여야 당내의 이전투구(泥田鬪狗)의 모습부터가 너무도 한심하다 못해 처량했다. 국회의원이 되겠다고 나서는 분들 중 훌륭한 분이 전혀 없다고는 할 수 없지만 그들 중 많은 사람은 공천 자리를 얻기 위해 당대표에게 달라붙어 온갖 충성과 아첨을 다 해 공천을 따냈다. 우여곡절 끝에 공천을 따내 후보자가 되면 이번에는 표를 얻기 위해 유권자들에게 간이라도 빼줄 듯 사탕발림을 하며 결코 지킬 수 없는 공약(空約)을 함부로 남발하였다. 여당 후보든 야당 후보든 그들의 유세 내용은 거의 대동소이했다. 자기가 지역 주민과 나라를 위해 얼마나 필요한 사람인가를 역설했고 한편으로는 상대방 후보를 비인격적으로 헐뜯었다. 이런 그들의 모습을 보며 과연 저런 사람들이 국회의원 자격이 있는지, 아니면 최소한의 정치철학이라도 갖고 정치를 하겠다고 국민 앞에 나왔는지 의문이 들었다.

여하튼 선거는 끝났고 그 결과는 의외일 만큼 야당의 압승으로 끝났다. 국민은 역시 위대했다며 현명한 국민의 선택을 치켜 올리며 기뻐서 어쩔 줄 모르는 야당 사람들의 모습이 하루 종일 티브이 화면을 가득 채웠다. 패배한 여당 사람들의 모습은 거의 찾아보기 어려웠다. 티브이에 나와 승리의 기쁨을 만끽하며 당선 소감을 발표하는 사람들의 모습을 보다가 나는 문득 얼마 전에 읽었던 노르웨이 시인 올라브 하우게(Olav H. Hauge)의 아주 짧은 시(詩) '그들이 법을 만든다'가 생각났다.

'그들이 법을 만든다'
그들이 국회에 앉아있다
플라톤도 읽지 않은 그들이 (전문)

올라브 하우게는 정치에 관심이 많은 사람이 아니다. 독학으로 공부하고 평생 정원사로 노동하며 전원시를 남긴 시인이다. 그의 많은 시는 숲속에서 쓰였다고 하는데 자연 속에서 삶의 진리를 발견하고 노래하던 그가 어떻게 해서 이렇게 정치 냄새가 나는 신랄한 시를 썼는지 궁금하다. 아마도 정치하는 사람들의 자질이나 행태는 노르웨이나 우리 한국이나 크게 다를 것이 없기에 자연 속에 은거하던 시인의 순수한 눈에도 미덥지 않게 보였기에 그런 시를 쓰지 않았나 싶다. '플라톤도 읽지 않은 그들이'라는 표현은 그들의 언어나 행동거지에 철학이 담겨있지 않았다는 뜻이겠지만 왜 많은 철학자 중에 유독 플라톤을 거명했나를 생각하게 된다.

누군가가 "서양의 2000년 철학은 모두 플라톤의 각주에 불과하다"라고 말했을 만큼 서양철학사에서 가장 대표적인 철학자가 플라톤이기에 그랬을 수도 있겠지만 하우게는 분명 이 시를 쓰면서 플라톤의 철인(哲人)정치를 염두에 두었을 것이다. 플라톤은 시민 계급에 의한 토론 정치인 아테네의 민주정을 우민(愚民)정치라고 비판했다. 대중은 어리석고 나약하고 사익만 추구하기에 올바른 결정을 내리지 못한다. 반면에 지식을 사랑하고 탐구하는 철인은 정의가 무엇인지를 이해하고 현실에서 적용할 수 있기에 이들이 세상을 다스려야 한다고 주장했다.

물론 플라톤이 천명한 철인정치의 시작점은 '이데아'일 것이다. 현실 세계에 완전한 이데아를 이룩할 수는 없겠지만 이를 추구하므로 현실을 개선하고자 하는 희망을 가졌고 이를 감당할 수 있는 사람들이 철학자라고 그는 생각했다. 철학자라고 완전한 사람은 아니지만 지혜와 진리를 추구하는 그들은 눈에 보이는 현상이나 손에 잡히는 사물에 사로잡혀 있는 일반 대중보다는 훨씬 정의로운 세상을 만들 것이라고 희망한 것이다.

기원전에 태어난 플라톤이 살았던 시대와 지금 우리가 살고 있는 시대는 너무도 격차가 크기에 그의 주장을 액면 그대로 수용할 수는 없겠지만 시인 하우게도 탄식할 수밖에 없는 오늘의 정치 현실을 보면 다시 한번 그가 왜 그런 주장을 해야 했는지 수긍이 가는 점도 많은 것이 사실이다.

하우게는 플라톤도 읽지 않은 그들이 국회에 앉아있다고 한탄하였지만 그들이 국회에 앉아있도록 만든 것은 우리들이다. 우리가 그들을 뽑았기 때문이다. 플라톤 시대의 대중은 대부분이 가난하고 배울 기회도 없는 사람들이었기에 그들로 하여금 국가의 일에 어떤 결정을 내리거나 지도자를 뽑도록 하는 것은 우민(愚民)정치라고 비난을 받을 여지가 충분히 있었다. 그러나 오늘날의 대중은 어떤가? 우리 대한민국을 예로 들어 보자. 우리 국민의 대학 진학률은 이미 전체 인구의 70%에 육박했다. 국민 대다수가 최고의 교육을 받은 지성인이다. 거기다 한국인의 IQ 평균은 세계 1위이다. 이렇게 똑똑하고 많이 배운 국민들이 참여하는 정치는 결코 우민정치라고 할 수 없을 것이다. 그런데도 이들이 뽑은 국회의원이나 정치 지도자가 흔히 도덕적으로 그리고 인격적으로 결함이 발견돼 비난을 받는다. 왜 일까?

답을 찾기 위해 우리 자신을 돌아보자. 우리는 과연 제대로 된 삶을 살고 있는가? 조금만 객관적인 마음 자세로 우리를 성찰하면 우리가 비난하는 정치가나 그들을 뽑은 우리나 다 같이 지극히 탐욕스러운 이기심에 갇혀 살고 있다는 사실을 깨닫는다. 불과 한 세대 전 모두가 가난했던 시절 우리는 이를 악물고 열심히 노력해서 다 같이 잘 사는 세상을 만들려고 노력했다. 그러나 가난을 벗어나 어느 정도 여유를 갖고 살게 된 이후 언젠가부터 우리 모두는 이웃과 함께 나누며 사는 세상을 버리고 나 혼자만 잘 살면 되는 이기심의 늪에 빠져들어 갔다. 더 이상 정의는 없었다. 내게 득이 되면 옳은 것이고 조금이라도 손(損)이 되면 옳지 않은 것이었다. 이웃은 경쟁자였고 성공을 위해 내가 딛고 넘어야 할 장애물일 따름이었다.

이런 상황에서 허울 좋은 민주주의라는 이름 아래 국회의원을 비롯한 정치 지도자를 뽑으니 제대로 된 사람을 뽑기가 힘들다. 말이야 나라를 위하고 국민을 위해 나섰다고 하지만 뽑는 사람이나 뽑힐 사람이나 모두가 내심 자신의 이익만을 생각하고 이기심으로 선거를 치르니 결과가 좋기가 힘들다. 그렇기에 어느 나라든 부정부패의 대부분이 정치로부터 나온다. 이런 작태를 미리 내다보는 눈이 있었기에 플라톤은 그 옛날에 미리 철인정치를 주장했을 것이다.

플라톤은 사회에서 정의를 실천하며 철인정치를 맡을 사람으로 철학자 겸

통치자인 철학왕(哲學王)을 상정했다. 오늘날의 사회에서 철학왕과 같은 이상적인 인물을 기대하기는 어렵다. 그러나 최소한 철학 하는 마음을 가진 사람이 지도자가 된다면 세상의 정치판이 이처럼 혼란스럽지는 않을 것이다. 플라톤은 그의 저서 '국가'에서 '왜 인간은 정의롭게 행동해야 하는가?'라고 질문하며 '정의는 수단이 아니라 그 자체가 목적'이라고 말한다. 오늘의 정치가나 그 정치가를 뽑는 대중들이 이러한 플라톤의 말을 기억했으면 좋겠다. 그렇게 된다면 선거가 보다 바르게 치러져 제대로 뽑힌 정치가들이 보다 바른 정치를 할 것이고 하우게와 같은 시인이 그들이 국회에 앉아있다. 플라톤도 읽지 않은 그들이'라는 시를 쓰지 않아도 될 것이다.

4.10 총선은 끝났다. 그리고 당선된 사람들은 곧 국회에 들어가 22대 국회를 만들 것이다. 한 나라의 정치 수준은 그 국민의 수준과 비례한다고 했다. IQ 평균과 대학 진학률이 세계에서 제일 높은 국민이 선택한 사람들이니 그 수준에 맞는 국회를 만들어 주었으면 좋겠다. 그렇게 되기 위해 노파심에서 부탁하기는 국회의원 한 사람 한 사람이 플라톤의 바람대로 철학왕과 같은 국회의원은 못되더라도 최소한 철학 하는 마음을 가진 국회의원이 돼주었으면 한다. 국가의 일을 결정하거나 입법할 때 개인이나 내 편의 이익이 아니라 정의가 목적이 되는 방향으로 나가기를 간절히 소원한다. 그리하여 4년이 지난 뒤 임기가 끝날 때 4.10 총선으로 태어난 22대 국회는 결코 우민(愚民)정치의 산물이 아니었다는 평을 듣게 되었으면 한다.

2024 4월 석운 씀

노년, 오솔길이 된 삶의 흔적

나이 들수록 깊어지는 그리움

나이가 들어가며 걷는 삶의 길은 오솔길이다. 그 오솔길에서 때로 뒤를 돌아보면 아지랑이 속 신기루 같이 젊은 날이 보였다 사라진다. 아무리 그립고 아쉬워도 결코 돌아갈 수 없는 그 젊은 날을 생각할 때 만해 한용운의 시(詩) '님의 침묵' 첫 구절이 떠오른다.

'님은 갔습니다. 아아 사랑하는 나의 님은 갔습니다.
푸른 산빛을 깨치고 단풍나무 숲을 향하여 난 적은 길을 걸어서 차마 떨치고 갔습니다.'

사람마다 생각하는 '님'이 다르겠지만 나이 든 나는 '젊음'이라고 생각한다. 어느 사이에 '님'이 떨치고 가버린 지금 나는 '님'을 쫓아갈 수도 없고 가던 길을 돌아서 갈 수도 없다. 이제는 단풍나무 숲을 향하여 난 적은 길, 노년의 오솔길을 걸어가야 한다. 한갓진 오솔길을 걸으며 조용히 앞으로의 삶을 계획한다. 오솔길엔 때로 바람이 일고 나뭇잎이 흔들린다. 흔들리는 나뭇잎 사이로 햇살이 내려 쪼이면 지난 옛날이 환영처럼 스쳐가기도 한다. 그땐 다시 '님의 침묵'의 뒷 구절 중 하나가 생각난다.

아아 님은 갔지마는 나는 님을 보내지 아니 하였습니다

그렇다. 내 육신의 젊음은 갔지마는 내가 보내지 않은 내 정신의 젊음을 붙잡고 나는 노년의 오솔길을 걸어 갈 것이다.

내 나이 일흔 하고도 하나가 되었을 때

하우스먼의 시(詩)

하우스먼(A E Housman 영국 시인 1859-1936)의 시(詩) **'내 나이 스물 하고도 하나였을 때'**를 처음 읽었을 때 우연히도 나는 스물한 살이었다.

내 나이 스물 하고도 하나였을 때
난 어느 현자가 말하는 것을 들었네
'크던 작던 돈은 다 주어도
네 마음만은 주지 말아라'
하지만 내 나이 스물 하고 하나였으니
내겐 소용없는 말이었다네……(첫 연)

그때 스물한 살이었던 나에게 마음만은 주지 말라는 시인의 말은 내겐 정말 소용없는 말이었다. 무엇엔가 마음을 줄 것을 찾기 위해 눈을 있는 대로 크게 뜨고 세상을 휘젓고 다니던 스물한 살의 청년에게 마음만은 주지 말라는 시인의 말은 전혀 마음에 와닿지 않았다.

대학 시절도 중반을 지나던 그때 나는 세상에 가치 있는 것이 무엇인가를 찾고 있을 때였다. 모든 것에 얽매여서 수동적으로 학교 공부만 할 수밖에 없었던 고등학교를 졸업하고 대학에 들어오니 모든 것이 자유로워졌다. 세상이 온통 내 것인 양 그때까지 나를 옭매고 있던 그물을 벗어던지고 술도 마시고 담배도 피우고 여학생들도 만나면서 정신없이 지나다 보니 어느덧 소포모어(sophomore)의 해도 지나가 버렸다. 비로소 정신을 차리고 사방을 둘러보고 또 나 자신을 돌아보니 지난 2년간 해놓은 것이 아무것도 없었다. 새장에서 풀려난 어린 새가 세상 넓은 것도 하늘 높은 것도 모르고 끝도 없이 날다 보니 날갯죽지만 아프고 어디에 내려앉아야 할지 몰라 허공을 빙글빙글 맴돌 듯 내 나이 스물하고 하나였던 그때 나는 그렇게 방황하고 있었다.

나는 누구이고 나는 어디에 있고 내가 할 일이 무엇인가에 대해서 비로소 곰곰이 생각하기 시작했던 그때 나는 무척 심각했다. 그때까지의 나의 삶은 그냥 달리기였다. 거개는 타의에 의해 그러나 때로는 자의에 의해 철없이 정신없이 앞으로만 내달리다 문득 그 자리에 서버린 그때 나는 비로소 정신이 들었던 것 같다. 안개 자욱한 광야에 홀로 팽개쳐진 느낌을 가슴으로 받아내며 비로소 나는 왜 살고 있고 나의 삶에서 추구할 것이 무엇인가를 깊이 생각하기 시작했다. 그것이 무엇인지 아직 몰랐지만 찾기만 한다면 나의 마음을 다 바치겠다고 생각했던 그때, 내 나이 스물 하고도 하나였을 때, 내 눈에 뜨여 읽었던 하우스먼의 시(詩)는 그렇기에 내겐 소용없는 말이었다. 하우스먼이 주지 말라는 '마음'이 사랑이든, 평생 추구해야 할 진리이든, 또는 앞으로 나아가기 위한 길이든, 나는 그 무엇을 찾아서 마음을 주어야만 했기 때문이었다.

그때부터 내 삶의 본격적인 방황이 시작되었다. 내 마음뿐이 아니라 내 모든 것을 다 바칠만한 가치가 있는 그 무엇을 찾기 위한 방황이었다. 많은 책을 읽었다. 문학 철학 종교 예술 등등의 책들을 손에 잡히는 대로 읽어 나갔지만 두서없이 읽은 책들은 잡다한 지식의 파편만을 머릿속에 집어넣었지 내가 원하는 삶의 그 무엇인가를 알려주지도 제시하지도 못했다. 아니 어쩌면 그때 나는 내가 원하는 것이 무엇인지조차 모르고 있었다. 가까운 친구들과 만나 삶에 대해서 진리에 대해서 열띤 토론을 벌이기도 했지만 모두가 나와 비슷하게 마음만 급한 풋내기 철학자들이었고 누구 하나도 이렇다 할 결론을 내놓지 못했다. 애꿎은 담배 연기만 허공에 날리고 헛헛한 가슴을 술로 달래고 우리들은 그게 인생이야(C'est la vie!) 하는 냉소적인 고백을 뱉어내며 헤어지곤 했다.

그러던 어느 날 밤 영국 시인 존 키이츠(John Keats)의 시 희랍고병부(希臘古甁賦: Ode on a Grecian Urn)를 읽다가 나는 '유레카'하고 혼자 소리쳤다. 나로 하여금 마치 아르키메데스나 된 양 소리 지르게 만든 것은 '미(美)는 진리고 진리는 미이다. 이것이 그대들이 세상에서 아는 모두이고 또 알 필요가 있는 모두이다'라고 끝을 맺는 이 시의 마지막 구절이었다. 감성이 풍부하다 못해 밖으로 터져 나오던 그 시절 몇 달 동안을 삶의 의미를 찾겠다고 밤낮으로 고심하다가 만난 그 구절은 캄캄한 암흑의 하늘을 헤집고 나타난 별빛 같은 섬광이었다. '그렇구나. 미가 진리이고 진리가 미이구나. 왜 그걸 몰랐을까?'하고 나는 혼자 중얼거렸다. '하지만 키이츠가 말하는 미는 결코 눈에 보이는 미나 있다가 사라지는 미가 아닐 것이다. 그 미는 영원한 미를 말할 것이고 그렇기에 진리일 것이다. 이제부터 이 미를 찾아야겠다.'라고 나는 생각했다.

그 해 여름방학이 시작되자 가방 하나 들고 전국을 돌아다니며 미(美)를 찾겠다고 설쳤던 생각을 하면 지금도 쓴웃음이 나온다. 26살의 젊은 나이에 요절한 키이츠가 그리스의 도자기를 바라보다 '미는 진리이고 진리는 미'라는 위대한 고백을 할 수 있었다면 그와 같은 이십 대인 나도 키이츠의 도자기와 같은 무언가를 만난다면 그와 같은 깨달음을 얻을 수 있을 것이라는 기대를 가지고 전국을 돌아다녔던 것이다. 경주와 부여 그리고 유명한 사찰을 찾아 돌아다니다 방학 끝 무렵 기진맥진해서 경부선 열차를 타고 서울로 올라오면서 키이츠가 말한 미는 그런 식으로는 찾을 수 있는 미가 아닐 것이라고 생각했다. 그가 말한 참된 미를 찾는 여정을 다시 시작해야겠다고 생각했다.

내 나이 스물 하고도 한 살이었던 그때 시작된 미와 진리를 향한 추구는 그 뒤 내 평생의 과제였다. 때로는 미를 찾아 때로는 진리를 찾아 그리고 때로는 그 둘을 함께 찾아다니며 나의 평생이 흘러갔다. 어떤 때엔 문학 속에서 그 실마리가 보이는 것 같았고 또 다른 때엔 예술 속에서 그 실마리가 보이는 것 같아 부지런히 뛰어들어 보면 그것들은 언제나 신기루같이 사라져 버렸다. 찾아다니고 쫓아다니다 어느 땐 너무 힘들고 절망스러워 그만 포기하고 쉴까 하다가도 다시 미와 진리를 찾는 방황을 시작하였다.

그러다 보니 오십 년의 세월이 흘렀고 어느덧 내 나이 일흔 하고도 한 살이 되었다. 하우스먼의 시 '내 나이 스물하고 하나였을 때'를 처음 읽던 홍안의 청년이 백발의 노인이 되었지만 아직도 제대로 깨달은 것이 하나도 없다. 텅 빈 머리와 허허로운 가슴을 부여안고 지나간 세월을 돌아보며 아쉬워하고 있을 따름이다. 하우스먼은 그의 시를 '내 나이 스물 하고도 둘이 되니 그것이 진실인 줄을 알게 됐습니다.'라고 끝냈다. 그러나 그가 알게 된 것은 어떤 진리가 아니라 '가슴속의 마음은 결코 그냥 주어지는 게 아니라는' 사실이었다. 칠십이 넘게 산 하우스먼도 평생 진리를 찾아 헤매었던 것 같다. 그렇기에 그가 칠십이 넘어서 쓴 시(詩) '나무 중 가장 사랑스러운 벚나무'에서 '일흔 봄에서 스물을 빼면 내게 남는 것은 쉰뿐. 그리고 활짝 핀 꽃을 보기엔 쉰 봄은 너무 짧으니.'라고 썼을 것이다.

물론 하우스먼에 비하면 너무도 둔하고 또 둔한 나는 내 나이 일흔 하고도 한 살이 되어서도 아무런 진리도 깨닫지 못하고 텅 빈 가슴을 달래기 위해 기껏 이런 시나 끄적거릴 수밖에 없을 것이다.

내 나이 일흔 하고도 하나가 되었을 때

내 나이 일흔 하고도 하나가 되었을 때
난 내 속의 누군가가 말하는 것을 들었네
찾고 또 찾으며 이제까지 찾고서도
아직도 계속 찾을 것인가

내 나이 일흔 하고도 하나가 되었을 때
난 비로소 그의 말에 귀 기울였네
길을 열려하지 말고 열린 길로 가라는 말
비로소 고개 들어 앞을 내다보니
굽이굽이 열려있는 길
이제까진 안 보였던 길

내 나이 일흔 하고도 하나가 되었을 때
난 가기로 했네 열린 길로
결국은 하나가 되어 만나는 그 길로

2019. 4. 23 석운 씀

노년의 글쓰기

퇴(推)일까 고(敲)일까, 행복한 고민

글을 쓴다는 것은

글을 쓴다는 것은 나를 벗는 일이다
벗기를 부끄러워하지 말자

망설이다가 벗지 못하면
평생 누더기 속에 살다 갈 따름이다

벗었으면 보이기를 두려워 말자
두려워하다 보이지 못하면
평생 냉가슴 속에 살다 갈 따름이다

기억하라
당신의 참모습을 기다리는 커다란 눈망울들을!

글을 쓴다는 것은 기꺼이 나를 벗는 일이다

글을 쓰기 위해서라면

글을 쓴다는 것은 어떤 의미에서 자신을 드러내는 행위이다. 싸구려 배우는 돈을 위해 옷을 벗지만 진정한 배우는 관객과 소통하기 위해 옷을 벗는다. 옷을 벗지 않고도 관객과 온전히 소통할 수 있다면 얼마나 좋을까? 그러나 꼭 그래야 할 경우가 있기에 그럴 때 배우는 부끄러움을 무릅쓰고 옷을 벗는다. 그리고 그것을 이해해주는 관객을 만났을 때 배우는 벗은 몸이 민망하지 않다.

글을 쓰지 않고도 살 수 있는 사람들은 행복하다. 글을 쓰지 않고는 견딜 수 없는 사람들은 이미 불행을 자초한 사람들이다. 그러나 그들이 한 편의 글-그것이 비록 보잘것없는 글이라 할지라도-을 써놓고 느끼는 희열은 써본 사람만이 느낄 수 있는 행복이다.

글을 쓴다는 것은 결코 쉬운 일은 아니다. 보통 사람들에게는 물론이고 문재가 출중한 대 문장가에게도 좋은 글이 항상 나오는 것은 아니다. 우리가 잘 아는 소동파(蘇東坡)와 같은 출중한 시인도 적벽부(赤壁賦)를 지었을 때 이를 완성하기까지 버린 초고가 수레로 석 대가 넘었다고 한다.

우리가 어렸을 때 읽었던 중학교 교과서에 나오는 고려 때의 김황원(金黃元)의 이야기는 아직도 머릿속에 생생히 남아있다. 그가 평양 감사가 되어 부임 길에 부벽루에 올랐다. 누각에 많은 시인들이 지은 제영(題詠)들이 많았지만 그가 보기엔 모두 맘에 안 들었다. '이런 것들을 시(詩)라고……' 모두 떼어내게 한 뒤 온종일 난간에 기대 겨우 두 구절을 얻었다.

長城一面溶溶水 긴 성곽 한 면에는 넘실넘실 강물이오
大野東頭點點山 넓은 벌 동편 머리 점점이 산일러라

하지만 여기서 꽉 막혀 더 이상 마무리를 못하고 끝내는 통곡 하며 돌아섰다고 한다. 글쓰기의 어려움을 잘 말해주는 이야기이다.

퇴(推)일까 고(敲)일까, 행복한 고민

또한 퇴고(推敲)라는 말이 그로부터 비롯된 중국 중당(中唐) 때의 시승(詩僧)이었던 가도(賈島779~843)의 일화는 너무도 유명하다.

아직 그의 이름이 널리 알려지지 않았던 무명의 시절 어느 날 나귀를 타고 장안 거리를 돌아다니던 그에게 갑자기 '새는 연못가 나무에 잠들었는데, 스님은 달빛 아래 문을 민다(鳥宿池邊樹 僧推月下門)는 시구가 떠올랐다. 스스로 너무 멋진 시구라고 생각되어 흡족했는데 그중 '밀 퇴(推)'자가 어쩐지 마음에 걸려 다시 생각해 낸 것이 '두드릴 고(敲)'자였다. 고(敲)자로 고치고 보니 또 어쩐지 퇴(推)자가 나은 것 같기도 했다. 이렇게 퇴와 고를 두고 거기에만 정신이 팔려 나귀가 이끄는 대로 돌아다니다가 그만 당송 8대 문장가의 하나이며 당시 높은 벼슬자리에 있던 경조윤(京兆尹) 한유(韓愈)의 행차와 부딪쳤다. 그때까지 나귀에서 내리지 않았으니 불경죄를 범한 것이었다.

병졸들이 가도를 붙잡아 끌고 갔다. 가도가 한유 앞에 가서 말에서 내리지 못한 이유를 사실대로 고(告)하자 한유는 가도의 시작(詩作) 태도에 탄복하며 잠시 생각하더니 "퇴보다 고가 나을 것 같소,"라고 말했다. 이후 두 사람은 시우(詩友)가 되었다고 한다. 또한 이때부터 퇴고(推敲)는 글을 쓴 뒤 문장을 다듬고 어휘를 살핀다는 말이 되었다.

글쓰기가 있는 노년은 행복하다

나이가 들어서 글을 쓰는 취미를 가질 수 있다는 것은 너무도 행복한 일이라고 생각한다. 근력(筋力)도 전만 못하고 총력(聰力)도 전만 못하지만 나이 든 사람들이 마음만 먹으면 할 수 있는 취미가 글쓰기이다. 낙양(洛陽)의 지가(紙價)를 올릴 수 있는 글을 매번 쓸 수 있다면 너무 좋겠지만 평생에 단 한 편의 마음에 드는 글을 쓸 수 있다면 그런 글을 쓰기 위해 시간과 노력을 들여도 아깝지 않고 필요하다면 나를 가리고 있는 옷을 벗어도 부끄럽지 않다고 나는 생각한다.

글을 쓰다가 때로는 치기가 넘쳐 평양 감사 김황원(金黃元)처럼 통곡을 해도 괜찮을 것이다. 그래도 그는 쓸려고 노력하지 않았던가! 시승(詩僧) 가도(賈島)처럼 될 수 있다면 더 좋을 것이다. 퇴(推)가 되어도 좋았고 고(敲)가 되어도 좋았지만 그 한 글자를 택하기 위해 그처럼 몰두하고 고뇌하는 그 정성을 배울 수 있으면 더욱 좋을 것이다. 몰두하고 고뇌하는 그 시간 동안만큼은 우리는 나이도 잊고 세상의 번잡도 잊을 수 있을 것이다.

노년(老年), 글쓰기가 있는 노년은 행복하다. 아일랜드의 시인 예이츠(W.B. Yeats)가 '영혼이 손뼉 치며 더 크게 노래하지 않는다면 노인은 하찮은 존재' 일뿐이라고 말했지만 나는 우리 나이 든 사람들이 손뼉 치며 노래할 수 있는 가장 좋은 방법 중 하나가 글쓰기라고 말하고 싶다.

아주 쉽다. 지금 바로 연필과 종이를 가지고 시작하면 된다. 아니면 컴퓨터를 켜고 자판을 두드리면 된다. 쓰다가 막히면 가도(賈島)처럼 퇴(推)일까 고(敲)일까 고민해보자. 그 고민이 바로 여러분을 행복의 문으로 안내하는 길잡이이다. (2018.6.30 석운)

그리움

영원을 향한 영혼의 몸부림

그리움

몸부림은 그리움을 향한 육신의 몸짓
그리움은 영원을 향한 영혼의 몸부림

몸부림쳐도 몸부림쳐도
내 두 발은 땅을 떠날 수 없어 슬프고
그리워해도 그리워해도
내 영혼은 육신을 떠날 수 없어 슬프다

그리움은 알고 있다
육신의 한계
영혼의 한계
그리하여
모든 그리움은 슬픔으로 바뀐다

이제
나는
정말로
슬픔을 알았다.

짜라투스트라는 서른 살이 되었을 때 산으로 들어갔다가 10년 뒤 태양을 보고 외쳤다.

"나는 그대처럼 내려가야만 한다!"

그는 최고점에 달했기에 내려오고자 했을까? 10년의 정신세계 탐구 뒤에 그는 무엇을 깨달았을까? 보리수 아래에서 진리를 깨친 붓다와 같은 경지에 그가 올랐는지 우리는 모른다. 아니 그건 오히려 중요하지 않다. 중요한 것은 그가 내려오기로 결정하였다는 사실이다.

"보라 나는 지나치게 많은 꿀을 모아놓은 꿀벌처럼 나의 지혜에 지치고 말았다. 이제 나에게는 지혜를 얻기 위해 내미는 손이 필요하다. 나는 선물하고 싶고, 나누어 주고 싶다."

그는 알고 있었다. 그의 내려옴을 산 아래 사람들은 몰락이라고 부를 것이라는 것을. 그러나 그는 개의치 않았다. 그는 내려오기를 원했다. 내려와서 다시 인간이 되기를 원했다. 그리고 그 마음이 짜라투스트라의 위대함이었다.

나는 일흔 살이 넘었다. 그런데도 아직 올라가기만을 원하고 있다. 있는 자리에 머무는 것도 아니고 더 더 높이 오르기를 원하고 있다. 물론 이 오름은 어떤 물질이나 지위에 관한 것이 아니다. 나의 오름은 순전히 앎 혹은 진리에 관한 것이다. 나는 결코 내가 욕심이 많아서 계속 오르기만을 원한다고 생각하지는 않는다. 내가 모자라기에 무언가를 깨닫기에는 너무도 어리석기에 그 빈자리를 조금이라도 채우고 싶은 마음이기에 수많은 책을 뒤적이며 오르막길을 계속 오르고 있다. 무언가를 조금이라도 깨닫는 날에는 아니 어스름한 형체라도 보는 날에는 그만 내려가자라고 마음 속으로 다짐하고 있지만 아직도 아무것도 깨닫지도 보지도 못하고 있으니 흘러가는 시간과 더불어 애만 더 탈 따름이다.

예수는 서른 살에 광야로 나가 40일 금식을 마치고 세상으로 나와 가르치심을 시작했다. 그는 하나님의 아들이요 성령으로 잉태하여 세상에 나오신 분이니 감히 예수의 흉내를 낼 수는 없어도 서른 살에 산에 들어갔다가 10년 뒤에 세상으로 내려온 짜라투스트라의 흉내는 내볼 수 있어야 하지 않는가 하는 마음이 칠십을 넘긴 이 보통의 사내의 바람이요 한이다.

바람이라고도 할 수 있고 한이라고도 할 수 있는 이 마음자리는 바로 그리움이었다. 흔히 그리움이라면 고향에 대한 향수, 떨어져 있는 가족과 친구에 대한 보고 싶은 마음, 사랑하는 연인을 향한 애틋한 마음 등등을 표현하는 말이다. 나도 얼마 전까지는 그렇게만 생각했다. 그러나 요즈음 나에게 있어서의 그리움은 보다 더 시원(始原)을 찾아 올라가는 의미의 언어가 되었다.

그리움은 결코 남녀 간의 상사(想思)나 사물이나 사람 혹은 지나가버린 것에 대한 연민(憐憫) 정도를 뜻하는 일상의 평범한 언어가 아니었다. 그리움은 내게 '영원을 향한 몸부림'이었다. 지나온 나의 삶을 돌아볼 때 그 모든 방황은 사실은 영원을 알기 원한 영원을 찾기 위한 도정이었다. 철 모르던 사춘기 시절의 반항도 짝을 찾아 헤매던 젊은 시절의 사랑도 진리를 찾아 책 속에 파묻히던 그 오랜 시간의 방황도 사실은 모두가 '영원을 향한 몸부림'이었고 그것은 내 존재를 언제나 꽉 채우고 있는 그리움이었다.

오늘도 내 가슴속에는 그리움이 가득하다. 그리고 그 그리움은 내 주변의 모든 것들을 향해 흘러나간다. 사람, 나무와 꽃, 하늘의 구름, 바다의 푸른 물결, 아아 아무리 둘러보아도 영원한 것은 없는 내 주변의 모든 것을 향해 내 그리움은 짙은 안개처럼 퍼져나가고 나는 그 모든 것의 필멸(必滅)을, 그리고 그 속의 일부에 불과한 나 스스로의 필멸을 슬퍼한다. 시간이 지나며 그 슬픔은 가슴속에 켜켜이 쌓이면서 그리움으로 바뀌어간다.

솔로몬은 전도서에서 '하나님이 모든 것을 지으시되 때를 따라 아름답게 하셨고 또 사람에게 영원을 사모하는 마음을 주셨느니라(전도서 3장 11절)'라고 말했다. 영원을 사모하는 마음을 주셨기에 우리는 철들면서부터 평생 영원을 사모하며 살아나가다 나이 들수록 그 사모하는 마음이 그리움으로 바뀌는 것이 아닌가라고 나는 생각한다. 그 그리움을 어떻게 대처하고 극복하며 승화시키는가에 따라 사람의 삶이 달라진다고 나는 또 생각한다.

필멸의 육신은 아무리 공을 들여도 결국은 병들고 노쇠하여 스러지고 만다. 많은 사람들이 그 육신을 붙잡고 별별 짓을 다하지만 그건 정말 안타까운 몸짓에 불과하다. 붙잡아야 할 것은 우리의 마음이고 영혼이다. 마음과 영혼 속에서 그리움을 승화시키다가 때가 되면 그 그리움마저 놓아주어야 할 것이다. 너무 오래 붙잡고 있는다면 그 또한 한계 속에 살고 있는 사람의 욕심일 것이다.

붓다는 35살에 깨달음을 얻고 세상에 나와 80세에 입멸할 때까지 사람들 사이를 편력하며 깨달음을 나누었다. 29살의 나이에 왕궁을 나와 깨달음을 향해 정진한 동기는 역시 영원을 사모하는 마음 즉 그리움이었을 것이다. 왕궁 밖에서 벌어지고 있는 생로병사를 보고 느낀 슬픔이 그리움으로 바뀌었을 때 그는 왕궁을 떠나 깨달음을 향한 방황을 시작했었다. 35살에 보리수 아래서 깨달음을 얻었지만 세상으로 내려오지 않았더라면 그도 단지 평범한 수도사의 한 사람에 불과했을 것이다. 세상으로 내려왔기에 그의 그리움은 자비심으로 승화하였고 그에게 다가가는 모든 사람들의 마음속에 살아있다.

하늘 높은 보좌에 앉아있어도 될 예수가 육신의 옷을 입고 이 땅에 내려온 것도 자기와 같은 형상을 한 사람들에 대한 그리움 때문이다. 많은 사람들을 먼저 보내어 천국복음을 전해주어도 깨닫지 못하는 사람들에 대한 연민이 그리움이 되고 그 그리움이 사랑으로 승화하여 그는 드디어 땅으로 내려와 30세가 되자 사람들 사이로 들어가 사랑을 전했다. 그리고 그 사람들의 손에 십자가에 매달려 죽으므로 사람들 가슴속에 영원히 살아있다. 그는 본디 하나님의 본체시나 사람의 모양으로 자기를 낮추셨다고 성경은 말한다(빌립보서 2장). 아무리 하나님의 본체인 예수라도 세상으로 내려오지 않았더라면 세상의 수많은 신 중의 하나에 불과했을지도 모른다.

결코 붓다가 될 수 없기에, 예수는 더더욱 될 수가 없기에, 오늘도 영원을 사모하는 내 마음은 더욱 커지기만 하고 그리움은 가슴속에 사무친다. 그리고 앰한 짜라투스트라만 입 속에서 중얼거린다. 당신이 외쳤던 초인(超人)은 그리움을 극복했소? 신(神)은 죽었다고 외친 당신이니 그리움의 근본문제를 해결하지는 못했다 하더라도 최소한 그리움의 느낌만은 극복하지 않았겠소? 내게 가르쳐주오. 그럼 나도 그만 올라감을 중단하고 당신처럼 내려가겠소.

여하튼 난 당신을 좋아하오. 다른 건 몰라도 내려가기로 결심한 그 당신의 마음자리만은 본받고 싶기 때문이오. 내려가서 나도 그냥 사람들 속에 섞여 살고 싶소.

2018. 2. 18 석운 김동찬

비문증(飛蚊症)

가을 나무를 바라보며

벌써 몇 달이 지나갔나 보다. 지난봄 어느 날 아내와 같이 산책을 하다 갑자기 왼쪽 눈 옆에 자꾸 무언가가 따라다니는 것 같이 느꼈다. 손을 들어 쫓아내도 없어지지 않고 계속 같은 자리에서 둥둥 떠서 나를 따라왔다. 처음엔 쓰고 있던 모자에 무엇인가가 붙었나 싶어 모자를 벗어 탁탁 털고 속과 겉을 자세히 살펴보아도 아무것도 없었다. 그래도 혹시나 해서 모자를 벗고 걸어도 그 무언가는 여전히 왼쪽 눈 옆에서 둥둥 떠다녔다. 마치 작은 하루살이 두어 마리가 짝을 지어 날고 있는 것 같았다. 여보 나 좀 봐요 하고 나는 할 수 없이 아내를 불렀다. 내가 아내에게 무언가 이상한 것이 한쪽 눈에 보인다고 하자 아내는 웃으면서 당신 아마 피곤해서 그러실 거예요. 어제저녁 잠도 잘못 주무시고. 빨리 돌아가서 좀 쉬시면 없어질 거예요라고 나를 안심시켰다. 나도 그런 가보다 하고 빨리 귀가를 서둘렀다.

집으로 와서 샤워를 하고 편안히 앉아 쉬려고 했지만 여전히 그 이상한 하루살이 같은 것들이 왼쪽 눈가에 어른거리는 것이 느껴졌다. 여보, 아무래도 둘째에게 전화를 해봐야겠어 하고 아내에게 말했다. 왜 아직도 그냥 있어요? 그럼 그러세요. 그 애가 잘 가르쳐드릴 거예요라고 아내가 이제는 약간은 걱정스러운 투로 말했다. 호주에 있는 둘째 딸이 옵토메트리스트(optometrist)였다. 딸에게 전화를 하고 증상을 말하자 아빠 그건 비문증(飛蚊症)이란 건데 나이 오십 넘은 분들에게 많이 생기는 증상에요. 특별한 치료법은 없고 그냥 그런 가보다 하고 지내시는 방법밖에 없어요. 아빠 건강하시니까 다른 합병증은 없을 거예요. 운이 좋으면 그러다가 없어지기도 해요라고 말했다. 그러냐. 별거 아니라니 다행이다. 여하튼 네 아빠도 이제 나이가 들어가는구나 하고 나는 전화를 끊었다. 그리고 한 시간도 안 돼서 서울에 있는 큰 딸한테 전화가 왔다. 아빠, 괜찮아요? 비문증이라면서요. 아이구 울 아빠 불편하면 안 되는데 하고 울먹거리는 목소리였다. 둘째가 벌써 제 언니한테 전화를 한 모양이었다. 아이구 이놈아 괜찮다. 늬 아빠 오래 살 테니 걱정 말아라. 그리구 그냥 없어질 수도 있다는데 뭐 괜찮을 거다 하고 오히려 달래서 전화를 끊었다.

다른 건 몰라도 눈만큼은 자신이 있었던 나이기에 눈에 이상이 생겼다는 것은 내심 큰 타격이었다. 별거 아니라고 마음속으로 다독이면서도 혹시라도 책을 못 보게 되는 지경에 이르지 않을까 하는 지레 걱정하는 마음도 조금씩 들었다. 나이가 들어가는 것은 서글픈 일이어도 그만큼 여러 가지 일에서 놓여나게 되면 책을 읽을 수 있는 시간이 많아진다는 것이 가장 큰 기쁨이라고 스스로 위로하면서 살아왔는데 만일 책을 못 보게 된다면 하는 생각을 하게 되면 그만 맥이 탁 풀렸다.

육체적 나이는 숫자에 불과한 것이고 중요한 것은 노령에 대비하는 정신자세라고 스스로에게도 또 주변 사람들에게도 말해왔었는데 역시 나이는 속일 수가 없구나 하는 생각이 저녁 하늘에 먹구름이 다가오듯이 슬몃슬몃 잠재의식의 후미진 어딘가로 스며들었다.

그리고 몇 달이 지났다. 그래도 다행인 것은 비문증에 대한 생각을 잊고 지내다 보니 생활하는데 그렇게 큰 문제가 없었고 책을 읽는데도 뚜렷한 불편을 느끼지 않았다. 그 뒤로 주위의 나이 드신 분들과 비문증에 대해 이야기를 나눌 기회가 있었는데 의외로 많은 분들이 이미 이 증상을 겪고 계셨다. 그분들 대부분이 그냥 그러려니 하고 더 나빠지지 않기나 바라면서 사신다고 했다.

그런 이야기를 들으면서 한편으로는 나만 그런 것이 아니구나 하는 일말의 안도감도 느꼈지만 다들 이렇게들 늙어가는구나 하는 허탈감과 아쉬움이 더 크게 다가왔다. 주변의 친지들 중에서 어떤 분들은 알고 지낸 지 몇십 년씩 되는 분들이 꽤 있다. 그분들의 젊었을 때의 모습이 아직도 기억 속에 생생하기만 한데 허옇게 나이가 들어가는 모습을 보면 아무리 요즘 세상은 백세까지 사는 인생이라고 힘껏 외치며 노익장을 과시해도 안타까운 마음을 금할 길이 없다. 아마 그분들이 나를 보는 심정도 마찬가지일 것이다.

그런 마음을 갖고 맞는 가을이라서 그런지 이번 가을은 유난히 모든 것이 스산하게 느껴졌다. 옷깃을 파고드는 바람도 전보다 차게 느껴졌고 하늘에 떠가는 하얀 뭉게구름마저 유난히 외로워 보였다. 이번 가을엔 특히 비가 많이 내렸는데 비가 내리는 오후엔 사춘기 소년 마냥 감상에 젖어 아무런 생각도 없이 내리는 빗줄기를 마냥 바라보며 시간을 보내기도 했다. 나이가 들면 어린애 같아진다는데 아마 나도 그렇게 되고 있는 것 같았다.

오후에 비가 유독 많이 내렸던 다음날 날씨가 아주 좋기에 아내와 같이 산책을 나갔다. 와이테마타(뉴질랜드 동북부 해안 마을) 골프장 옆 주택가 길은 크고 작은 나무들이 많이 서있기에 걷기에 아주 좋은 길이었다. 작은 개울도 있고 골프장을 내려다보고 있는 잘 정돈된 집들의 모습도 평화로웠다. 한참을 걷다가 아내가 어머 저 나무좀 보세요. 단풍이 너무도 잘 들었네요! 하고 탄성을 질렀다.

가을 나무

커다란 나무 전체가 빨갛게 물든 듯 때마침 살랑거리는 바람 속에 잎사귀를 흔들거리고 있는 모습은 아내가 감탄할 만큼 아름다웠다. 그러네. 정말 예쁘네. 벌써 가을이 이렇게 깊어졌나 하고 나는 아내의 말에 답을 하였지만 그때 문득 가슴속을 밀고 들어오는 허허로움이 통증처럼 온몸으로 퍼져나가는 것을 나는 느꼈다. 왜 아름다운 가을 나무를 보고 평안히 감탄할 수 없었는지 그 순간의 나를 나도 이해하기 힘들었다.

그날 산책에서 돌아와서 시를 한 편 적었다.

가을 나무에게

나무야 가을 나무야
온갖 현란한 색깔로 비어 가는 네 모습을 감추고
바람이 불 때마다
춤이라도 추는 양 잎사귀를 흔들어 대도
나무야 가을 나무야
내 눈에 들어오는 너의 모습은 죽어가는 순한 짐승의 몸짓 마냥
가슴이 시리다

한창때의 네 모습을 나는 기억하고 있다
나무야 가을 나무야

그때
여름 태양 아래 찬란히 빛나던 네 모습
마음껏 팔을 벌려 쏟아져 내리는 빛줄기를 탐하던 네 모습
아 그리고 저녁이 되면
너를 찾아 들어온 그 많은 새들의 합창
너는 너를 찬양하는 줄 알았겠지
너는 그 여름이 마냥 계속될 줄 알았겠지

지금 가을바람 불고

태양이 싸늘하게 식어가는 계절

나무야 가을 나무야

떨어져 내린 잎사귀 네 발치에 슬피 울고 있고

저녁이 돼도 새들은

더 이상 네게 날아들지 않는다

너는 이미 알고 있다

지금 현란한 색깔로 너를 감싸고 있는 남은 잎사귀의 슬픔을

나무야 가을 나무야

한창때의 네 모습을 나는 기억하고 있기에

너를 보는 내 가슴은 이 가을 더욱 시려만 온다.

2017. 5. 24 석운 씀

병실에서

병실 너머 세상에 나갈 때도

그 순수한 간절함을 갖고 가고 싶다

지난 7월에 작은 수술을 받았다. 그 몇 달 전 어느 날 칫솔질을 하다 우연히 거울을 보니 오른쪽 턱 아래가 조금 부은 것같이 느껴졌다. 잇몸이 부었나 하고 며칠간은 그대로 놓아두었다. 그러다 가라앉겠지 하는 마음이었다. 일주일 이 주일이 지나도 턱밑의 부기가 빠지지 않자 의사를 찾았고 다시 전문의를 만났고 이런저런 검사를 했다. 검사 결과는 침샘과 관련된 부분에 이상이 있어 작은 혹이 생겼으니 더 크기 전에 제거 수술을 하는 것이 좋다는 전문의의 의견이었다.

아주 어렸을 때에 볼거리 수술을 받은 적은 있지만 그 뒤론 몸에 칼을 대 본 적이 없는 나로서는 수술에 대한 두려움은 거의 없었다. 큰 수술이냐는 나의 질문에 의사는 큰 수술은 아니지만 얼굴의 예민한 부분이라 전신마취를 해야 하고 신경을 건드리지 않도록 조심해야 하기에 서너 시간 걸릴 것이라고 말했다.

수술 자체에 대해서 걱정은 안 했지만 나도 이제 나이가 들었는지 수술받기 전에 유언장을 만들어 놓는 것이 좋을 거라는 생각이 들었다. 전신마취를 한다는데 혹시라도 깨어나지 못하면 세상 물정을 전혀 알지 못하는 아내가 무척 당황스러울 거라는 생각이 들어 평소 가깝게 지내는 변호사를 통해 아내와 더불어 유언장을 작성해 놓았다.

수술 날이 다가와 아내와 같이 병원에 갔다. 수속을 마치고 환자복으로 갈아입고 마취실로 들어갔다. 아내는 더 이상 나를 따라 들어올 수 없었고 애잔하게 손만 흔들었다. 사방이 흰 마취실에는 의사를 비롯한 몇 명의 간호사들이 있었지만 난 세상에서 동떨어진 혼자라는 느낌을 받았다. 의사가 무엇인가를 내 코에 가까이 갖다 대었고 무언가 말을 걸었다. 그리고 난 의식을 잃었다.

마취에서 깨어났을 때엔 이미 수술이 끝난 때였다. 옆에서 지키고 있었던 간호사가 깨어나는 나를 보고 괜찮냐고 물었다. 괜찮다고 말하며 나는 아내에게 전화를 해달라고 말했다. 괜찮으세요. 걱정했어요. 너무 늦게 깨나

셨네요. 전화기를 통해서 아내의 떨리는 목소리가 들려왔다. 전화를 마치자 간호사가 이제 병실로 갈 거라고 이야기했다. 거기 가면 아내를 만날 거라고 했다. 그때까지 나는 수술실에 있었고 수술은 3시간 이상 걸렸고 나는 5시간 넘게 의식을 잃고 있었다고 간호사가 말해 주었다.

조금 있다가 간호사가 내 침대를 밀고 병실로 갔다. 아내가 복도에서 나를 맞았고 병실로 내 침대를 밀고 들어간 간호사는 창가에 내 자리를 잡아주었다. 내가 편안하게 누웠는지를 몇 번이나 꼼꼼히 확인한 뒤 간호사가 자리를 뜨자 아내가 걱정스러운 얼굴로 괜찮으세요 하고 내게 물었다. 나는 괜찮다고 대답하며 아내의 손을 꼭 잡았다. 진통제를 먹어서인지 통증은 거의 없었고 수술을 마쳤다는 안도감에 오히려 평안함을 느꼈다. 오늘은 여기서 주무셔야 한대요. 저도 있고 싶은데 가족들이라도 8시에는 모두 나가야 한다고 하네요 하고 아내가 다시 걱정스럽게 말했다. 괜찮아요. 당신도 집에 가서 쉬어요. 간호사들이 모두 잘해 주니까 아무 걱정 말고요 하고 나는 아내를 안심시켰다.

아내가 집으로 간 뒤에 나는 비로소 병실을 둘러볼 수 있는 여유를 가졌다. 나까지 모두 4명의 환자가 병실에 있었다. 내 앞에 있는 두 명의 환자는 키위(Kiwi: 뉴질랜드에 사는 유럽인을 지칭함)였는데 나보다 조금 더 나이 드신 노인들 같았고 내 옆의 마오리(Maori: 뉴질랜드 원주민) 환자는 육십 대 초반쯤 되어 보였다. 주사를 꽂아 고정시켜 놓은 왼손이 책을 보기에는 거북해서 나는 책 보기는 포기하고 조용히 기대앉아 생각에 잠기기도 하고 또 세분의 병실 동료들을 바라보기도 하며 시간을 보냈다. 어쩌다가 바로 맞은편의 환자분과 눈이 마주쳐서 눈인사를 했다. 그가 나보고 어디가 아프냐고 물었다. 나는 손으로 오른쪽 턱 밑의 수술 부위를 보여주며 오늘 수술을 했다고 말했다. 얼마나 입원해 있을 거냐고 물어 아마도 내일 나갈 거라고 하자 그는 부러운 표정을 지으며 자기는 내일 복부 수술을 받는데 얼마나 오래 있을지는 모른다고 했다. 그의 표정을 보면서 나는 그가 왜 복부 수술을 받는지는 묻지 않았다.

우리의 대화를 듣고 있던 내 대각선 방향 맞은편의 환자분이 자기는 심장에 통증을 느껴 들어왔는데 아직도 검사 결과가 나오지 않았다고 말했다. 집에 가고 싶지만 심장은 다른 부위와 달라 위급할 경우가 있기에 확실한 결과가 나와야만 퇴원할 수가 있다고 조금은 불안한 표정으로 말을 했다. 그의 불안을 덜어 주기 위해서 나는 나도 심장 부위가 아파서 3년쯤 전에 병원에 왔다가 협심증 진단을 받고 스텐트(stent)를 심었는데 그 뒤로 전혀 이상이 없다고 말했다. 그는 나의 말을 주의 깊게 듣더니 그때 증상이 어땠느냐고 물었다. 그래서 내가 기억나는 한도에서 증상을 말해 주자 자기도 그와 비슷한 것 같다고 말했다. 그렇다면 큰 걱정 안 해도 될 것이라고 내가 말하자 그는 좀 안심하는 모습이었다.

어제까지만 해도 병원 밖에서 마음껏 활동하던 내가 오늘 병원에 들어와 수술을 받고 병실에 들어와 다른 환자들과 섞여 지내며 나는 내가 다른 세상에 들어온 느낌을 받았다. 나는 아는 병이라서 내일이면 퇴원하지만 어떤 사람들은 회복의 가능성도 없이 계속 입원해 있을 사람들도 있겠고 어떤 사람들은 아직도 병의 원인을 몰라서 초조하게 결과를 기다리고 있는 사람들도 있을 것이라는 생각이 들자 여러 가지를 생각하게 되었다. 건강할 때는 생각할 수 없었던 다른 세계를 생각하면서 인간의 연약함을 새삼 깨닫는 계기가 되었다.

밤이 깊어지자 간호사가 들어와 병실의 전등을 하나씩 껐다. 불 꺼진 병실의 침대 위에서 나는 잠을 이루지 못했다. 그리곤 머릿속으로 시(詩)를 써 나갔다.

병실에서

환자들은 모두 아픔이 있다
환부가 어디건
그 아픔을 통해 환자들은 세상을 본다
아픔을 통해 보는 세상은 유리창 밖의 풍경처럼
소리는 없고 움직임만이 있다
볼 수는 있어도 끼어들 수 없는 풍경
환자들의 가슴은 안타깝기만 하다

환자들은 모두 바람이 있다
나음이라는 바람
그 바람을 통해 환자들은 세상을 본다
바람을 통해 보는 세상은 봄날 아지랑이 같아
실체는 없고 아른거림만이 있다
느낄 수는 있어도 잡을 수 없는 아지랑이
환자들의 가슴은 답답하기만 하다

아프기 전의 아픔은 추상명사였다
아픈 뒤에야 아픔은 고유명사가 되어 내게 들어왔고
주변의 수많은 아픔들이 눈에 보이기 시작했다
그리고 나는 환자라는 보통명사가 되어 있었다

환자들에게는 모두 간절함이 있다
아프지만 않았으면 하는 간절함
낫기만 했으면 하는 간절함
그때의 간절함은 순수하여 다른 욕심이 없다

병실 너머 세상에 나갈 때도 그 순수한 간절함을 갖고 가고 싶다

2017.8월 석운 씀

그림 전시회로 갈음한 장례식

아름다운 삶의 마감

호스피스 병원에서 열린 그림전시회

작년 11월 22일 수요일 오후 2시가 가까워지자 경기도 용인 동백에 있는 성루카 호스피스 병원 2층에 한 두 사람씩 사람들이 모여들기 시작했다. 아담한 크기의 2층 홀에는 벽면을 따라 대략 이십 여 점의 그림들이 전시되어 있었다. 모여드는 사람들은 모두가 오늘 청호(淸湖: 내 친구의 아호)의 그림전시회에 초대받은 사람들이었다. 청호의 가족과 가까운 친척들, 그리고 가장 가까운 친구들 부부로 줄잡아 삼십 명 정도 되어 보였다. 나도 아내와 같이 그들 중에 끼어 전시회가 시작되기를 기다리고 있었다.

고등학교 동창인 청호는 내 절친 중의 하나였다. 가난한 조국에 태어난 우리 세대의 거의가 그랬듯 청호도 땀으로 얼룩진 치열한 삶을 살았다. 사업 때문에 주로 외국에서 살았던 그가 월남에서 하던 사업을 정리하고 한국으로 돌아온 때가 약 팔 년쯤 전이었다. 오랜 이국 생활을 정리하고 돌아와 서울 근교에 거처를 마련한 그는 부인과 같이 새로운 노년의 삶을 시작했다. “내 평생 이렇게 한가롭게 살아보기는 처음이네. 당분간은 그동안 못 만났던 친구들도 만나고 하고 싶은 일을 하며 살아야겠네. 왜 진작 이렇게 살지 못했나 후회될 정도네.” 몇 년 전 한국을 방문한 우리 부부를 집으로 초대해서 저녁 대접을 하며 이렇게 말하는 그의 얼굴엔 행복한 모습이 가득했었다.

하지만 운명의 여신의 손길은 그에게 가혹하였다. 가끔씩 가슴이 답답해서 큰 병원에 가서 정밀 검사를 했더니 상상치도 못했던 검사 결과가 나왔다. 폐암이 이미 상당히 진전된 상태였다고 했다. 전이가 심해서 수술은 불가했고 항암치료만 가능하다고 했다. 부인과 두 딸의 절망은 말할 것도 없었지만 당사자인 청호는 오히려 담담했다. 아내와 두 딸을 위로하며 "목숨은 하느님께 달려있다. 진인사대천명(盡人事待天命)이라고 했으니 하느님께 기도하며 할 수 있는 최선을 다하면 기적이 일어날 수도 있다고 나는 믿는다,"라고 말했다. 그는 독실한 천주교 신자였다.

기적처럼 왔다 간 기적

그리고 그는 그의 말을 실천했다. 의사의 말대로 항암치료를 받고 열심히 운동을 하며 기도의 끈을 놓지 않았다. 항암치료는 결코 쉽지 않았지만 그는 굳은 의지로 버텨내며 고통을 잊기 위하여 그림을 그리기 시작했다. 방사선 치료를 포함한 항암 치료의 고통을 그는 꿋꿋하게 견뎌내며 무려 사 년이라는 긴 세월 동안 병과 싸웠다. 이러한 그의 굳건한 투병 자세 때문이었는지 아니면 병상에서도 결코 쉬지 않은 기도와 아내의 정성 어린 간호 덕분이었는지 발병 사 년이 지난 어느 날 그는 완치 판정을 받았다.

그동안 그의 치료를 맡았던 담당의사는 오직 기적이라는 말 이외에 달리 설명할 길이 없다고 했다. 병에서 완치된 청호는 자기의 남은 삶은 하느님이 주신 보너스이기에 보람 있고 좋은 일을 하며 살아야 한다며 주변 사람들을 도와주며 열심히 살았다. 그리고 발병과 더불어 시작했던 그림 그리기도 계속했다. 그림에 숨은 소질이 있었는지 그가 그린 그림들은 점차 아마추어의 경지를 넘어갔다. 그렇게 행복한 세월이 약 삼 년 정도 지나갔다.

하지만 완치된 줄 알았던 암의 잔재가 언젠가부터 슬며시 고개를 들더니 어느새 그의 폐를 잠식해 버렸다. 다시 항암 치료를 받기 시작했지만 이번에는 효력이 없었고 병세는 점점 악화되어 갔다. 담당 의사가 더 이상은 손을 쓸 수가 없다는 절망적인 말을 했을 때 청호도 또 부인과 딸들도 차분히 마지막을 준비하기 시작했다.

병원에 있던 그가 호스피스로 옮겼다는 소식을 듣고 우리 가까운 친구들이 그를 방문했을 때 그의 표정은 의외로 밝았다. 걱정스러운 얼굴로 그를 쳐다보는 우리들에게 그는 "내 걱정하지 말게. 진통제 덕분에 고통도 없고 또 내 마음은 평안하네. 이때까지 살아온 것에 대한 감사한 마음만 가득하네. 얼마 안 남았겠지만 이런 마음으로 지내다가 가면 행복할 거라고 생각하네."라고 말했다. 병문안을 마치고 나오는 우리들이 오히려 마음 가득히 부끄러운 느낌을 갖고 우리 삶을 되돌아볼 정도였다.

그러던 그가 그림 전시회를 한다고 우리들을 초대했다. 호스피스에서 그를 돌보던 간호사가 그의 스마트 폰에 저장되어 있는 그림들이 청호의 작품인 것을 알고 전시회를 열 것을 권유했다고 했다. 청호는 처음에는 거절했지만 계속되는 간호사의 강력한 권유에 수락했다고 했다. 전시회를 통해서 평생에 가깝게 지내던 모든 분들을 한 번에 만날 수 있는 기회가 될 수 있다는 생각이 들어 전시회를 열기로 마음먹었다고 나중에 그는 친구들에게 말했다.

이렇게 해서 오늘 그의 그림 전시회가 열리게 된 것이었다. 평소에 그의 그림 솜씨가 상당하다는 것을 알고 있던 우리 친구들이지만 오늘 전시회에 나온 그림들을 보면서 우리는 어떻게 병마와 싸우면서 이렇게 아름다운 그림들을 그릴 수 있었는지 오직 경탄할 따름이었다. 그러나 이 작은 그림 전시회에서 정말로 우리를 놀라게 하고 감탄하도록 만든 것은 청호의 인사말이었다.

사전 장례식이 된 그림 전시회

시간이 되자 아내가 미는 휠체어에 앉아 전시장으로 나오는 청호의 모습은 암에 시달리는 환자의 모습 같지 않았다. 밝은 표정 맑은 눈동자의 그의 모습은 육신은 병에 시달리고 있어도 정신은 오히려 병을 압도하고 있음을 증명하는 의연한 자세였다. 전시회 시작을 위한 테이프를 끊은 뒤 그는 어렵게 입을 열었다. 그가 한 말 중 가장 중요한 한 부분만 여기 옮긴다.

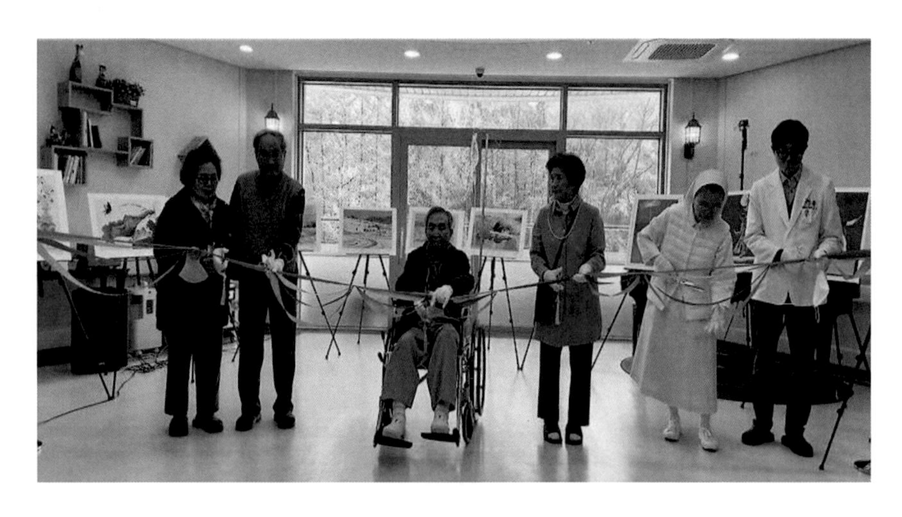

"오늘 저의 작은 전시회에 오신 여러분께 진심으로 감사드립니다. 제 그림 실력은 결코 전시회를 열 수준은 아닙니다. 그럼에도 이렇게 전시회를 연 이유를 말씀드리겠습니다.

몸이 아파 누워있으면서 저는 장례식에 관한 생각을 자주 했습니다. 그러면서 우리의 장례식에는 의미 없는 부분이 너무 많다는 생각이 들었습니다. 저는 제가 고맙게 생각하는 가장 가까운 분들과 인사를 나눌 시간을 가질 수 있다면 장례식은 필요 없다는 생각을 했습니다. 그러다가 이 병원에서 제 그림전시회를 마련해 주시겠다는 고마운 제의에 저는 '아, 그렇다면 이 기회에 가까운 분들을 모시고 전시회를 열어 나의 사전 장례식으로 갈음을 하자'하고 마음먹었습니다. 여기 오신 분들은 모두 생전에 저를 아껴주시고 사랑해 주신 분들입니다. 저는 이 자리를 빌려 여러분께 고맙다는 인사를 드리며 어찌 들으면 실례일 수도 있는 말씀을 드립니다. 오늘이 전시회로 저의 장례식을 갈음합니다. 이 전시회가 저의 사전 장례식이고 제 사후에 장례식은 따로 없습니다. 오늘 저의 사전 장례식에 참석해 주신 여러분께 다시 감사드립니다."

말하다가 입이 말라 힘들어할 때마다 옆에서 부인이 분무기로 입을 축여 주어 어렵게 여기까지 말을 마쳤을 때 장내엔 잠깐 비장한 침묵이 흐르다가 누군가로부터 시작된 박수가 모두로부터 터져 나왔다. 잠시 후 한두 사람씩 그와 가족들에게 다가가 위로의 말을 전했고 세상에서 가장 작은 그러나 가장 뜻깊은 그림전시회는 은혜롭게 진행되었다.

내 장례식은 책 전시회로 갈음하고 싶소

전시회가 끝나고 집으로 돌아오는 차 속에서 나는 청호의 말을 곱씹고 있었다. 장례식에 관한 그의 말은 너무도 옳은 말이었다. 우리의 장례식은 허례허식과 의미 없는 부분이 너무 많은 것이 사실이었다. 망자(亡子)는 아무것도 모르는 채 누워있는데 장례식을 치르느라 유족들은 슬퍼할 겨를도 없이 바쁘기만 하고 조객들의 상당수는 인사치레로 왔다 간다. 누구나 다 이 사실을 알면서도 용기가 없어서 아무 말도 못 하고 그냥 격식에 따른다. 이런 폐단을 알고 있기에 청호는 전시회를 빌어 용기 있게 선언했다. "이 전시회로 저의 장례식을 갈음합니다. 이 전시회가 저의 사전 장례식이고 제 사후에 장례식은 따로 없습니다."

아름다운 삶을 살았던 청호는 세상을 떠나는 순간마저도 아름답게 끝내고 간다는 생각이 들며 문득 언젠가 책에서 읽었던 '장자(莊子)의 장례식'이 떠올랐다. 장자에게 죽음이 임했을 때 후한 장례식을 준비하려는 제자들에게 장자는 "나는 천지를 관곽(棺槨)으로 삼고 해와 달을 한 쌍의 옥으로 삼고 만물을 예물로 간주하기에 이미 모든 것이 갖추어졌거늘 내 장례식에 무엇을 덧붙이려 하느냐!"라고 말했다고 했다.

장자의 장례식도 뜻깊지만 그림 전시회로 스스로의 장례식을 갈음한 청호의 뜻깊은 결단은 우리 모두가 마음만 먹으면 본받을 수 있는 아름다운 본보기라고 나는 생각했다. 운전을 하면서 나는 옆에 있는 아내에게 말했다. "여보, 나도 청호를 본받고 싶소. 내가 앞으로 몇 권이나 더 책을 낼지 모르지만 나는 내가 낸 책들로 전시회를 열어서 내 장례식을 갈음하고 싶소. 우리 애들에게도 이 말을 해줘야 하겠소." 내 말을 들은 아내는 처음엔 무슨 벌써 장례식 이야기냐는 아연한 표정이었으나 조금 뒤 나를 쳐다보며 "알았어요. 하지만 전시회 할 만큼 책을 내려면 오래 사셔야 되겠어요,"하고 답했다. 아내의 재치있는 답변에 내심 고개를 끄덕이며 나는 남은 삶을 보람있게 살며 더욱 열심히 글을 써야겠다고 생각했다.

덧붙이는 말: 내 친구 청호는 금년(2024년) 1월 18일에 편안히 하늘나라

로 갔다. 유족들은 그의 유언대로 장례식 없이 그를 화장하여 유해를 동작동 국립현충원에 모셨다. 월남 참전용사였던 그는 국가 유공자였기에 현충원에 안치될 수 있었다. 그의 삶과 죽음은 그가 남긴 그림만큼이나 아름나웠다.

2024. 2월 석운

이 봄엔

가슴이 시리다

어느덧 구월이 가고 시월이 왔다. 남반구의 계절은 북반구와 반대이니 남반구의 작은 나라 뉴질랜드의 시월은 봄이어야 했다. 그러나 봄은 보이지 않고 잔인한 시간이 흘러가는 것만 보인다. 코로나는 여전히 세상 모든 곳에서 꿈틀거리고 청정국이라는 여기 뉴질랜드도 예외는 아니기에 록다운(lockdown) 아래서 지낼 수밖에 없는 하루하루가 너무 답답하기만 하다.

살다 보니 어느 사이 고희(古稀)를 훌쩍 넘겼고 해마다 봄을 맞았지만 올봄처럼 봄답지 않은 봄은 없었다. 기후 변화의 영향인지 아니면 봄마저 변이 코로나에 감염되었는지 날은 춥고 하루 건너 비가 쏟아졌고 바람은 미친 듯이 사방에서 불어왔다. 그러다 보니 올해 봄에는 내가 봄을 타게 되었나 보다. 봄을 탄다는 말이 사춘기 소녀나 혼자 사는 여인들에게나 해당하는 말이라 생각했는데 올봄엔 영락없이 내가 봄을 타고 있었다.

봄을 타면 마음이 약해지나 보다. 평소의 내가 그렇게 마음이 여린 사람이 아니라고 생각했는데 올봄엔 봄이 봄답지 않아서 그런지 무척 마음이 약해진 내 모습에 내가 놀란 적이 한두 번이 아니다. 책을 읽다가도 별것도 아닌 구절에 꽂혀 한참을 멍하니 앉아있는가 하면 음악을 듣다가도 어느 한 구절에 부딪혀 가슴 한구석이 무너져 내리곤 했다. 그런 내가 두려워 어느 날엔 일부러 온종일 책과 음악을 멀리한 적도 있다.

집에 있는 시간이 많아서인지 아침저녁으로 정원을 둘러보는 시간도 많아졌다. 올해는 봄답지 않은 봄이라 춥고 바람 부는 날씨가 많았지만 그 틈바구니를 뚫고 자라나는 꽃과 나무의 생명력은 경이로웠다. 어느 날 아침 정원 한구석에 있는 몇 그루 장미가 꽃봉오리를 내밀기 시작한 것을 발견했다. 너무 반가워서 빨리 활짝 피었으면 했다. 마음속 심안(心眼)에는 벌써 흰색 붉은색의 활짝 핀 장미 송이가 그득했다.

그날 오후 아내와 같이 동네 골목길을 산책하다가 어느 집 정원에 있는 동백나무를 보았다. 활짝 핀 꽃이 나무를 휩싸고 있었지만 다음 순간 내 눈을 사로잡은 것은 오히려 나무 밑에 떨어져 있는 꽃이었다. 떨어져 있는 꽃이 달려있는 꽃보다 훨씬 많았고 그중에 상당수는 채 피지도 못하고 떨어진 가여운 봉오리들이었다.

그날 이후로 나는 정원의 장미가 있는 쪽으로 발걸음 하기가 두려웠다. 피어나는 꽃봉오리보다 땅에 떨어져 흩어진 장미 꽃잎이 먼저 눈에 밟혔기 때문이다.

이 봄엔 내가 봄을 타나 보다. 그리고 나이도 들었나 보다. 그래서 시도 때도 없이 가슴이 시리고 이런 시(詩)도 쓰게 되나 보다.

이 봄엔

이 봄엔
그냥 가슴이 시리다

봄이 와도
떠나는 봄의 모습이 먼저 보여 가슴이 시리다
봄 뜨락에 꽃이 피기 시작해도
지는 꽃의 모습이 먼저 보여 가슴이 시리다

이 봄엔
바람이 불면
묻어오는 추억을 받아내기에 가슴이 시리고
하늘이 푸르면
세월의 멍인 양 온몸에 내려 쌓이는 푸르름에 가슴이 시리다

이 봄엔

햇살이 너무 밝으면

그 투명(透明) 안에 내 모습이 드러나 가슴이 시리고

비가 내리면

빗속으로 사라지는 옛사람들의 환영(幻影)에 가슴이 시리다

이 봄엔

오는 봄의 모습은 보이지 않고 떠나는 봄의 모습만 보여

내내 가슴이 시리다.

2021. 10. 1 석운 씀

안개

다시 내 삶의 안갯속에

안개 낀 아침의 골프

며칠 전 모처럼 이른 아침에 골프를 쳤다. 서둘러 간단한 아침을 먹고 아내와 더불어 집에서 가까운 와이테마타(Waitemata: Auckalnd의 바닷가 동네) 골프장으로 차를 몰았다. 오늘 안개가 굉장하네요 하고 옆자리의 아내가 똑바로 앞을 보면서 말했다. 멋있어요. 일찍 나오니까 이런 광경을 다 볼 수 있네요 하며 아내는 자욱이 안개 낀 거리의 풍경을 다분히 즐기는 표정이었다.

1번 티 그라운드에서 바라본 페어웨이 모습

같이 골프를 치기로 한 친구 부부는 이미 와서 몸을 풀고 있었다. 안개가 제법 꼈네. 공이 제대로 보일지 모르겠어 하며 친구가 안개 이야기로 인사를 대신했다. 해가 나오면 곧 걷힐 걸세. 참 오랜만에 안갯속에서 공을 치겠는데 하고 나도 안개 이야기로 그의 말에 답했다.

서로 준비가 끝나 1번 티 그라운드에 올라서자 우리보다 먼저 나간 팀이 저만치 앞의 안갯속에서 희미하게 보였다. 그들의 움직이는 모습이 반투명 유리 너머의 실루엣처럼 아스라하게 보였다. 페어웨이(fairway) 양 쪽에 서있는 크고 작은 가을 나무들의 모습이 신기루 속에 잠깐 모습을 드러낸 허상인 양 안개에 잠겨있었다.

학창 시절의 과여행(科旅行)

그때, 대학교 1학년 때였다. 가을에 속리산으로 과여행(科旅行)을 갔었다. 남학생 여학생 몇 명이 어울려 떠난 여행은 즐겁기만 했고 2박 3일의 여정은 너무도 짧게 느껴졌다. 감수성이 무척이나 강하고 예민했던 그때 집을 벗어나 여행을 한다는 것부터 가슴 뿌듯한 일이었고 가을이 무르익을 대로 익은 속리산 산길을 여학생들과 같이 오르내릴 수 있었다는 것은 너무도 가슴 뛰는 일이었다.

내일이면 서울로 올라가야 하는 여행 마지막 날 저녁 숙소인 여관에서 차려주는 저녁을 먹고 나서 우리들은 모두 여관집 대청마루에 모여 앉아 이런저런 이야기를 주고받았다. 그때 여관집 라디오에서 흘러나오는 노래가 있었다. 어머 저 노래 너무 좋아요 하고 여학생 하나가 말했다. 그러자 그 옆의 여학생도 나도 저 노래 너무 좋아해요 하고 맞장구를 쳤다. 우리 모두는 이야기를 멈추고 노래에 귀를 기울였다.

나 홀로 걸어가는 안개만이 자욱한 이 거리, 그 언젠가 다정했던 그대의 그림자 하나,

생각하면 무엇 하나 지나간 추억, 그래도 애타게 그리는 마음, 아아아 아 아아아----

정훈희의 안개

노래를 부르는 여가수의 청순하고도 애절한 목소리가 가슴속으로 스며들었고 곡조도 가사도 대학교 1학년인 우리 모두의 젊은 감성을 촉촉이 적시는 아릿한 슬픔을 띠고 있었다. 목소리가 너무 좋지요? 저 여자 가수가 이제 겨우 17살이래요. 우리보다도 어려요. 그런데 어떻게 저렇게 슬프게 노래를 할 수 있는지 모르겠어요 하고 맨 처음 노래를 듣고 탄성을 올렸던 여학생이 말했다.

가요를 잘 모르던 나도 그때부터 '안개'라는 이 노래를 좋아하게 되었고 이 노래를 불렀던 정훈희라는 여가수도 알게 되었다. 몇 년 전 한국에 갔을 때 고속버스를 타고 지방에 내려가다 고속도로 휴게소에서 파는 그녀의 노래 모음을 담은 CD를 선뜻 사 가지고 온 이유도 그런 추억 때문이었다.

그날 아침 1번 티 그라운드에 올라서 안갯속에 잠긴 골프장 전경을 바라보는 순간 나는 오십 년 전 그때의 추억 속으로 잠겨 들어 공 칠 생각은 잊고 '생각하면 무엇 하나 지나간 추억----' 하며 안개 노래를 입 속으로 중얼거리고 있었다. 이 사람 뭘 그리 생각해. 빨리 치게나 하는 친구의 채근

을 받은 뒤에야 정신을 차리고 첫 타를 칠 수 있었다.

골프를 마치고 돌아온 그날 오후 시를 한 편 썼다.

안개

이 아침
안개 속의 정경은 아름답기만 하다
추억 속의 과거가 모두 정겹듯이

물방울의 작은 입자들은 모여 안개가 되고
시간의 작은 입자들은 모여 추억이 된다

나이가 들면 눈에 안개가 낀다
전만큼 세상을 잘 볼 수는 없어도
전보다 세상을 아름답게 볼 수 있기도 하다.

나이가 들면 머릿속에 안개가 낀다
전만큼 기억을 잘할 수는 없어도
전보다 쉽게 놓아줄 수 있기도 하다

안개가 자욱한 이 아침
온몸을 휩싸는 안개의 속삭임에 귀를 기울인다

그냥 계세요 제 안에서

누구라도 무어라도 저는 마다하지 않아요
잠깐에요 아주 잠깐
태양이 뜨면 저는 가지요
흔적도 없이 그냥 가지요
품었던 것 모두 놓고

안개 모두 빠져나간 텅 빈 들판
나는 다시 내 삶의 안개 속에 서있다.

2017.6.8 뉴질랜드 오클랜드에서 석운 씀

떨어진 그 꽃잎 아니었으면

꽃잎이 알려 준 사랑

"여보, 또 금이가 다녀갔나 봐요."하고 아내가 부르는 소리에 아래층 현관으로 내려갔다. 외출했다 들어온 아내가 문 앞에 놓여 있었다며 이것저것을 들여놓고 있었다. 예쁜 꽃이 담겨 있는 작고 앙증스러운 꽃병 하나, 과자가 담겨 있는 그릇 두어 개, 그리고 현관 옆 담벼락엔 가을바람을 잔뜩 머금고 있는 탐스러운 갈대 송이 서넛이 기대 있었다.

금이는 작년 시월에 만난 대학 후배이다. 얼마 전 새로 생긴 문화원에서 책을 빌리다 만났고 학교 후배라는 것은 나중에 알았다. 20년이나 후배면 거의 딸 뻘이지만 그 마음 씀씀이와 인문학적 소양은 오히려 이 나이 든 선배를 훨씬 앞서는 그녀였다. 나와 아내를 다 같이 '선생님'이라고 부르며 가까이 대해 주는 그녀에게 항상 고마움을 느낀다. 알고 보니 그녀의 남편도 같은 대학 후배라 더욱 가족처럼 가까워질 수 있어 이 외로운 타국 생활에서 마치 오래 헤어졌든 혈육을 다시 만난 듯 반갑기만 하다.

금이의 아이들이 타카푸나(뉴질랜드 오클랜드 북부의 해안 마을)의 학교를 다니기에 아이들 학교에서 가까운 벨몬트로 집을 옮겨 온 뒤로는 데본포트의 우리 집과 거리상으로도 가까워져 더 자주 볼 수 있게 되었다. 직장에 나가랴 두 아이들 뒷바라지하랴 남편 섬기랴 정신없이 바쁜 그녀이지만 맛있는 것 하나 생기면 선생님 잡수라고 고이 싸들고 오고 집 정원에 예쁜 꽃 피어나면 꽃병에 담아 갖고 부지런히 달려온다. 그 따뜻하고 순수한 마음씨가 너무 고마워 우리 부부는 그럴 때마다 '우리 딸들이 멀리 떨어져 있으니 하나님이 더 큰 딸 하나를 우리에게 보내 주셨다.'고 입을 모은다.

"여보, 꽃들이 너무 예뻐요. "하면서 꽃을 유난히 좋아하는 아내는 그날도 금이가 가져온 꽃을 거실 이곳저곳에 조화롭게 배치하였다. 아름다운 두 여인의 손을 거친 꽃이 이곳저곳에서 색깔과 향기를 뽐내자 거실이 돌연 가을답지 않게 화려해졌다.

"여보, 이것 좀 봐요, 너무 예쁘죠?" 다음날 아침 일찍 부엌에 나간 아내가 나를 불렀다. 부엌 창가에 놓여있던 작은 흰 꽃병 안에 소담하게 담겨있는 빨간 꽃과 그 아래 창틀 바닥에 떨어져 있는 작은 꽃잎들은 차라리 한 편의 시(詩)였다. "사진 찍어서 금이에게 보내야겠어요, 고맙다는 말도 하고,

"라고 아내가 말했다.

다음은 아내와 금이가 주고받은 카톡 내용이다.

아내:

'어느 날

살그머니

어여쁘게 살며시 다가온

따뜻한 사랑

여길 봐도 저길 봐도

마음을 흐뭇하게 하는 자태들

가족의 따뜻함을 그리워했는데

이렇게 고운 가족을

붙여주신

하나님께 감사합니다.'

금이

'눈물이 또로록

고맙습니다

저희를 마음속에 예쁘게 받아주셔서……

선생님의 하나님께 제 감사도

전해드려 주세요.'

아내와 금이가 카톡으로 사진과 글을 주고받고 있는 동안 나는 가슴에 떠오르는 대로 시 한 편을 쓰고 있었다……

떨어진 그 꽃잎 아니었으면

밤 사이에 누가 다녀갔나 보다
소리도 없이
흔적도 없이
마음만 남기고 다녀갔을 터인데
꽃이 알려 주고 싶었나 보다
그 사람 다녀갔다고

입 열어 속삭이고 싶어 밤새 뒤척이다
꽃잎만 떨구었네 한 잎 두 잎------

떨어진 그 꽃잎 아니었으면
알 수 없었겠네
살며시 다녀간 그 사람의 자취

2014. 4. 11 석운 씀

노우 트런들러(No Trundler)

우린 모두 방문객

노우 트런들러(No Trundler)

그 전날까지 이틀 동안 비가 제법 내리더니 그날 오후엔 햇볕이 꽤나 밝았다. 오후 3시 좀 지났을 때 아내에게 말했다. "여보 걸으러 나갑시다. 오늘은 모처럼 날씨가 좋으니까 좀 멀리까지 갔다 옵시다." 이틀이나 아무런 운동을 못 하고 집안에만 있었더니 몸이 굳어진 느낌이었다. "혹시 골프장 안 열었을까요, 이렇게 날이 좋은데요?"하고 아내가 내게 물었다. 비가 오지 않으면 매일 오후에 아내와 같이 걷든지 아니면 나인 홀 골프(정규 골프는 18홀 경기지만 그 반인 9홀만 하는 약식 골프)를 해왔었다. 나이 들어서 할 수 있는 가장 좋은 운동이 걷기이지만 매일 걷기만 하면 좀 지루하기도 하기에 일주일에 이삼일은 집 근처 골프장에서 나인 홀 골프를 했다.

다행히 아내도 젊었을 때 골프를 배워놓았기에 노년에 부부가 같이 할 수 있어서 너무 좋다. 한국 같으면 경제적으로도 시간적으로도 쉬운 일이 아니지만 이곳 뉴질랜드에서는 집에서 가까운 곳에 골프장이 있고 연회비도 그리 비싸지 않기에 마음만 먹으면 대부분의 사람이 할 수 있는 운동이 골프이다. 더구나 부부끼리 골프를 하면 일부러 팀을 짜야하는 번거로움도 없고 또 오후에 나인 홀만 하는 데엔 골프장 예약도 거의 필요 없기에 너무 편하다.

"글쎄, 어제까지 비가 와서 문을 열었을까?"하고 내가 고개를 갸웃하자 "전화 한번 해보세요, 안 열었으면 걷고요,"라고 아내가 대답했다. 틀림없이 문을 닫았을 것이라고 생각했지만 그래도 혹시나 해서 아내 말대로 골프장에 전화해보았다. 그랬더니 골프장의 자동응답기 전화가 '골프장은 열었습니다. 하지만 트런들러(Trundler: 골프 백을 싣고 다니는 바퀴 달린 개인용 운반 기구) 사용은 안 됩니다,'라고 알려줬다. "여보, 열긴 열었는데 트런들러는 사용할 수 없다는 데,"하고 내가 아내에게 말했다. "그럼 어떻게 골프를 쳐요?"하고 의아해하는 아내에게 "어, 땅이 지니까 잔디 보호하려고 그럴 거요. 골프 백을 메고 치라는 말인데 우린 그럴 수는 없으니 만일 치려면 골프채 몇 개만 골라서 들고 다니며 칠 수는 있겠지. 그렇게 해볼 맘 있수?"하고 내가 물었더니 아내가 의외로 "그것도 색다른 경험이겠네요. 한 번 해봐요. 하다 안되면 그냥 걸으면 되지요, 뭐,"라고 해서 우린 곧장 골프장으로 갔다.

5개의 골프채로 치는 골프

집에서 차로 5분 거리에 있는 골프장에 도착하니 문은 열려있었고 입구 양쪽에 노우 트런들러(No Trundler)라고 크게 팻말이 붙어있었다. 주차장에는 우리보다 먼저 온 몇 대의 차가 서 있었다. '자, 기왕 왔으니 한번 쳐봅시다. 하지만 채를 많이 갖고 다닐 수는 없으니 최소한으로 갖고 다닙시다,'라고 내가 아내에게 말했다. 우린 서로 각기 퍼터(putter) 포함해서 5개 정도만 갖고 다니며 치기로 했다. 나는 드라이버와 4번 우드(wood) 그리고 7번 아이언(iron)과 샌드웨지(sand wedge)와 퍼터(putter)를 챙겼다. 아내는 4번 우드 대신 3번 우드를 그리고 샌드웨지 대신 피칭 웨지

(pitching wedge)를 골라 들었다.

"땅은 좀 질겠지만 오늘 골프장 전세 낸 것 같은데요,"하고 아내가 1번 티 그라운드(teeing ground)에 올라서서 자세를 잡으며 말했다. 아내의 말대로 골프장이 텅 비어있었다. 아주 멀리에 골프 백을 메고 가는 몇 사람이 보일 따름이었다. "그렇네. 자, 쳐요. 땅이 질어서 공이 박히기 쉬우니까 서로 공을 잘 봐주도록 하고,"라고 내가 말했다. 아내가 먼저 공을 쳤고 이어서 내가 쳤다. 그리고 친 공을 따라 앞으로 나아갔다. 코스(course)는 꽤나 질었지만 그런대로 조심해서 칠만했고 공을 칠 때마다 바닥에다 조심스럽게 채를 놓았다가 다시 집어 들어야만 했다. 1번 홀의 그린에서 퍼팅을 끝내며 아내가 말했다. "와, 그래도 저 보기(bogey: 기준 타수보다 한 타 더친 것) 했어요." "어, 대단하네. 나도 보기 했는데,"하고 내가 말했다. 우리 둘 다 몇 개의 채만 가지고 보기라도 한 것이 꽤 대견하게 느껴졌던 것이다.

우린 다시 2번 홀 티 그라운드로 갔다. 2번 홀은 1번보다 거리도 길고 페어웨이(fairway)도 좁아서 치기가 만만하지 않았다. 또 꼭 필요할 때 사용할 알맞은 채가 없어서 애를 먹었다. 결국 두 사람 다 2번 홀에서는 더블보기(기준 타수보다 2차를 더 친 것)를 범했다. 그러나 3번 홀에서부터는 5개의 채를 그런대로 잘 활용하는 요령을 터득해서 조금씩 더 잘 칠 수 있었다. 거리가 짧을 때는 긴 채를 짧게 잡았고 거리가 길 때는 아이언 대신 우드를 적절히 사용해서 거리를 맞추려고 노력했다. 그러다가 어떤 때는 말도 안 되는 실수를 하고는 둘이 허리를 잡고 웃기도 했다. 높이 떴다가 떨어진 공이 러프(rough: 페어웨이 양옆의 풀이 긴 지역)에 박혀서 공을 찾느라고 한참을 애를 먹기도 하고 잔디가 미끄러워 넘어질 뻔하기도 하며 그럭저럭 8번 홀까지 마치고 9번 홀 티 그라운드에 올랐을 때 아내가 말했다. "그래도 재미있네요. 채 5개 가지고 골프를 하기는 생전 처음인데도 또 그런대로 칠 수 있다는 게 신기하기도 해요."

너무 많이 갖고 사는 우리의 삶

나도 아내의 말에 전적으로 동의했다. 보통 때 골프를 칠 때는 우리는 골프 백에 13개 내지 14개의 채를 갖고 다닌다. 최대 14개까지가 규정이지만 어떤 사람은 슬며시 한두 개의 채를 더 갖고 다니기도 한다. 물론 조금이라도 더 잘 치기 위해서이다. 새로운 채가 나오거나 퍼팅이 잘 되는 퍼터가 있다면 가격이 어떻든 반드시 채를 교체해야 직성이 풀리는 골퍼들도 많다. 그런 생각을 하면서 나는 오늘 내가 5개의 채를 가지고 8번 홀을 마칠 때까지 친 결과가 어떤가 하고 돌아보다가 내심 놀랐다. 평소와 거의 비슷하게 쳤기 때문이었다. 피칭으로 쳐야 할 때 샌드를 가지고 지나치게 힘을 쓰다가 실수를 한 것하고 5번 아이언을 잡아야 할 곳에서 4번 우드를 짧게 잡고 치다가 그린을 넘겨 한 타를 손해 본 것을 제하면 평소의 점수와 별로 다를 것이 없었다. 만약에 다음번에 또 '노우 트런들러'로 쳐야 할 경우에는 채 한두 개만 더 갖고 치면 전혀 불편할 것이 없을 것 같다는 생각이 들었다.

9번 홀 페어웨이를 같이 걸으며 아내에게 방금 생각했던 것을 말했다. 그러자 아내도 "저도 그런 생각을 했어요. 뭐 그렇게 무겁고 힘들게 많이 갖고 다닐 필요가 없다고요. 그리고 골프채뿐만 아니라 우린 살아가면서 너무 쓸데없는 것들을 많이 갖고 살고 있지는 않나 하는 생각도 했어요,"하고 말했다. 나는 아내의 말에 고개를 끄덕였다. 물론 너무 모자라면 불편한 것이 사실이다. 오늘처럼 5개의 채만을 갖고 골프를 하자면 확실히 불편하다. 5개에다 꼭 필요한 채 한두 개 정도만 더 있으면 몸도 가볍고 불편할 것이 거의 없을 것 같았다. 보통 때 갖고 다니는 14개의 채의 반만 있으면 된다는 이야기다.

아마 우리의 삶에서도 마찬가지일 것이다. 지금 갖고 있는 것들을 추려서 반만 남겨도 생활하는데 거의 불편이 없을 것이다. 아니 오히려 몸도 홀가분하고 보관이나 관리에 신경을 쓰지 않아도 되니 훨씬 더 삶이 활기를 띨 것이라는 생각마저 들었다. 쉽지는 않겠지만 추리고 남는 그 반은 그것을 필요로 하는 분들께 나누어 줄 수 있다면 세상이 바뀔 수도 있을 것이라는 생각까지 들었다. 그런 생각을 하며 마지막 9번 홀을 마쳤을 때 문득 예전에 어디선가 읽었던 어느 여행자와 랍비의 일화가 머릿속에 떠올랐다.

여행자와 랍비의 일화

오래전, 한 미국의 여행자가 유명한 폴란드의 랍비(스승이라는 뜻의 히브리어) 호페츠 카임(Hofetz Chaim)을 방문했다. 책들과 탁자 하나와 긴 의자 하나가 있는 간소한 방 하나가 랍비의 집이라는 것을 보고 놀라서 여행자가 물었다.

"랍비여, 당신의 가구는 어디에 있습니까?"

"당신 가구는 어디에 있습니까?"하고 랍비가 되물었다.

"제 가구라니요?"하고 당혹한 미국인이 답했다. "전 여기 방문객입니다. 그냥 들렀다 갈 뿐인데요."

"저도 그런데요, "하고 호페츠 카임이 말했다.

눈을 크게 뜨고 세상을 바라보면 우리 모두가 방문객이다. 삶이라는 여정 속에 우리 각자가 들렀다 갈 뿐인데 우린 마치 영원히 이 삶 속에 머물러 있을 것 같이 살아간다. 조금만 더 조금만 더 하는 욕심이 결국은 나를 사로잡고 스스로 자초한 무거운 짐이 나의 삶과 영혼을 짓눌러버린다. 어딘가로 떠나야만 여행자가 아니다. 우리는 태어나는 순간부터 삶이라는 길 위의 여행자이며 살아가면서 이곳저곳을 방문한다. 방문하는 곳곳에서 만나는 사람들에게 우리도 폴란드의 랍비처럼 '저도 그런데요'라고 말할 수 있다면 우리의 삶은 훨씬 더 자유롭고 풍요로워질 것이다.

비 온 뒤에 들린 골프장에서 노우 트런들러(No Trundler)로 골프를 친 것은 새로운 경험이었다. 조금 불편하기는 했지만 5개의 채로도 골프를 칠 수 있다는 사실을 알았고 앞으로 골프 여행을 갈 때는 채를 다 갖고 가지 말고 반만 갖고 가도 충분할 것이라는 지혜도 터득했다. 그러나 이날 노우 트런들러의 골프로부터 배운 값진 교훈은 무엇보다도 폴란드의 랍비가 말한 '저도 그런데요,'였다.

차를 몰고 골프장을 나오면서 나는 옆에 있는 아내에게 머리를 숙이며 "저도 그런데요,"라고 했다. 느닷없는 나의 말에 의아해하는 아내에게 내가 폴란드 랍비의 이야기를 해주자 아내가 활짝 웃으며 "저도 그런데요,"라고 말해서 우린 다시 한번 같이 크게 웃었다. 노우 트런들러(No Trundler) 덕분에 색다른 골프도 치고 유익한 교훈도 얻은 그날 오후였다.

2018. 7.7 석운 씀

천사들 틈에 살고 있었네

그런 줄 모르고 살고 있었네

하이킹 중 사고

아내가 팔을 다친 지 벌써 2주일이 넘었다.

사고가 났던 그날따라 날씨가 무척 좋았다. 집에서 이것저것 할 일이 있다는 아내에게 이렇게 좋은 날에는 집에만 있지 말고 밖에 나가는 게 좋다고 억지로 데리고 나갔다가 그만 작은 사고를 당해 아내의 왼 손목이 부러졌다. 아직도 그날 사고가 나던 순간이 영화의 한 장면처럼 머리를 스치면 나는 고개를 흔들며 그 찰나의 모습을 떨구어 내려고 하지만 그럴수록 깨고 싶어도 깨어나지지 않는 꿈처럼 머리 속을 맴돈다.

멀리 간 것도 아니었다. 헨더슨(Henderson: 뉴질랜드 오클랜드 서쪽 마을)에 사시는 선배님 내외와 같이 그 댁에서 가까운 Fairy Falls에 올라갔다. 길은 아름다웠고 키 큰 나무들 사이로 내려 쪼이는 봄 햇살은 따사했다. 분홍색 점퍼에 갈색 모자 그리고 검은 색 선글라스를 낀 아내의 모습은 그날따라 나이를 잊은 듯 아름다웠고 걷는 발걸음은 소녀만큼 가벼웠다. 그런 아내를 보며 선배님 내외도 '요정의 폭포(Fairy Falls)'에 모처럼 정말 요정이 찾아 들었다고 농담을 하시면서 앞서거니 뒤서거니 산길을 내려왔다. 몇 일 전 비가 왔기에 제법 물이 불은 냇물을 건너야 하는데 내가 앞장 서서 건넜고 아내가 뒤를 따랐다. 먼저 건넌 내가 "여보 미끄러우니 조심해서 건너요."하고 돌아서는 순간 아내가 팔랑 나비가 내려 앉듯 냇가의 바위 위로 엎어지는 것을 나는 보았다. 아무런 소리도 없었다. 어떻게 발을 헛디뎠는지 혹은 미끄러졌는지 보통은 뒤로 넘어지는데 아내는 앞으로 넘어졌고 벌받는 여학생처럼 두 손을 위로 올린 채 바닥에 그냥 엎어져 있었다. 신음 소리 하나 없이 엎어져 있는 아내의 모습은 분홍색 인형이었다. 나는 무성영화를 보고 있는 것처럼 느꼈고 아내는 그 영화의 주인공인 것 같았다. 그 순간 영사기는 멈췄고 시간도 멈췄다.

"아니, 저걸 어떻게 해. 넘어졌잖아요!" 뒤따라 오시던 선배님 부인이 놀라서 소리를 쳤을 때 난 비로소 정신을 차리고 아내에게 달려갔다. 넘어지는 충격으로 잠깐 정신을 잃었던지 미동도 않고 엎어져있던 아내가 달려가 안아서 일으키자 비로소 부스스 눈을 떴다. "여보 괜찮아?" 눈을 떠준 것만도 고마워서 내가 큰 소리로 물었다. 미끄러운 바위 위로 앞으로 넘어졌지만 아내는 불행 중 다행으로 얼굴과 머리는 다치지 않았다. 그렇지만 넘어지는 순간 왼 손으로 땅을 짚었는지 왼 손에 심한 통증을 느꼈고 손을 움직일 수가 없다고 했다. 급한 대로 나뭇가지를 주워 부목을 대신하여 왼팔을 고정시키고 손수건을 연결하여 왼팔을 목에 걸고 천천히 산길을 걸어 나왔다. 올 때는 그렇게 아름답고 평안했던 산길이 왜 그렇게 힘들고 멀기만 한지 차를 세워놓은 곳까지 나오는 발걸음은 무겁기만 했다. 아내에게는 손목이 그냥 겹질려 삔 것이지 부러진 것은 아닐 거라고 걱정하지 말라고 말하면서도 마음 속으로는 제발 큰 부상이 아니게 해달라고 기도를 하면서 아내를 부축하고 걸었다.

응급실로 뛰어들다

와이타케레(Waitakere; 오클랜드 서쪽 지역 이름) 국립병원 응급실로 뛰어들었다. 이십 년 넘게 이 나라에 살면서 국립병원에 가본 적이 몇 번 있었지만 대개는 다른 분들 병문안 하려고 갔었지 이번처럼 사고를 당해서 환자의 입장으로 간 것은 처음이었다. 뉴질랜드가 얼마나 좋은 나라인지 선진국이 무엇인지 알려면 병원에 가보면 안다고 몇몇 분들이 이야기했지만 그 때는 그냥 귓등으로 들어 넘겼다. 그러나 이번에 아내를 치료해 주는 병원의 간호사들의 친절한 자세를 보면서 나는 그분들의 이야기를 실감했다. 간단한 환자등록 절차를 마치고 대기실에서 기다린 지 얼마 안 되어 간호원이 나와서 아내를 데리고 들어가 X Ray를 찍었고 X Ray 결과가 나오자 곧 석고실로 데리고 들어갔다. 방 입구에 붙어있는 석고실(Plaster Room)이란 표지판을 보는 순간 나는 가슴이 철렁했다. 왜 석고실로 가느냐고 내가 묻자 안내하던 간호사가 왼 손목 뼈가 부러져서 깁스를 해야 한다고 설명해 주었다. 뼈가 부러지다니, 아 그 말을 듣는 순간의 참담함이란!

석고실에 들어가자 간호사들이 아내를 침대에 눕도록 했다. 두 명의 간호사가 아내를 돌보았고 부러진 뼈를 제대로 맞추기 위하여 왼 손목 부위를 강제로 잡아당겨야 한다고 했다. 상당한 아픔이 있을 것이기에 우선 진통제를 놓아야 한다고 하면서 간호사 하나가 아내의 오른 팔에 커다란 주사바늘을 꽂았다. 바늘이 아내의 연약한 혈관을 뚫고 들어가는 순간 나는 내 심장이 멎는 것 같은 아픔을 느꼈다. 아내는 잘 견뎠다. 그러나 얼굴색은 너무도 창백했다. '내 잘못이야. 무엇 때문에 집에 있겠다고 하는 사람을 억지로 데리고 나와서 사고를 당하게 만드나.' 나는 후회막급이었다. 여린 보석 같은 아내를 잘 보호는 하지 못할 망정 맘대로 데리고 다니다가 온전한 보석에 흠집을 낸 것 같아 견딜 수가 없었다. 그런 내 마음을 읽었는지 아내의 팔에 주사를 놓던 간호사가 나를 보고 말했다. “이 쪽으로 와서 앉으세요. 그러다가 남편 분이 쓰러지겠어요.” 나는 괜찮다고 말했지만 옆에 있던 다른 간호사가 나를 의자에 앉혔다. 주사를 놓던 간호사가 아내가 얼굴을 찡그리는 것을 보자 말했다. “Oh, darling, I’m so sorry. It won’t be long. Oh, poor darling! ’ 그렇게 말하는 간호사의 얼굴은 연민으로 가득 차 있었다. 환자를 달링이라고 부르는 간호사는 환자와 아픔을 같이 나누고 있었다. 간호사들의 사랑이 담긴 마음씨와 손길에 아내도 나도 마음이 따뜻해지면서 그녀들에 대한 신뢰와 사랑이 싹트는 것을 느꼈다.

곧 이어 아내의 팔에 석고 작업을 하면서도 그녀들의 최우선 순위는 환자가 편하도록 아프지 않도록 해주는 것이었다. 팔 한 번 만지면서 붕대 한 번 감으면서 괜찮으냐고 묻고 또 물으면서 아내가 조금이라도 아픈 표정을 지으면 미안하다고 사과하면서 석고작업을 끝냈다. 백의의 천사라더니 이런 분들을 가리켜 하는 말이구나 하고 나는 속으로 감탄 할 수 밖에 없었다. 치료가 다 끝난 뒤 그들은 우리 내외를 출입구까지 안내해주었다. 그 다음 날 우리가 가야 할 Shore Care(우리가 살고 있는 곳 근처의 병원 이름)의 위치가 나와있는 지도까지 복사해서 갖다 주면서 우리를 배웅했다. 우리 부부가 이 땅에서 산지 오래되었지만 그들 눈에 비친 우리들은 분명 이방인이었고 동양의 작은 노인들에 불과했을 것이다. 그런데도 불구하고 국립병원이라 치료비도 받지 않으면서 우리를 이렇게 진심으로 대해주는 그들의 따뜻한 태도에 비록 사고를 당한 처지지만 마치 천국 잔치에 초대되었다 돌아가는 느낌으로 집으로 돌아왔다.

저녁에 많이 아플지도 모른다는 염려가 있었지만 진통제 덕분인지 아내는 의외로 잘 자고 일어났다. 같이 동행했었던 선배님 내외분을 통해서 알았는지 아침부터 계속해서 문안 및 위로 전화가 오기 시작했다. 진심으로 걱정해주고 또 격려해주시는 모든 분들의 목소리에는 사랑이 담겨있었다. 점심 때가 되어서 병원에 갈 준비를 하는데 어제 동행했었던 선배님 내외분이 찾아오셨다. 언제 준비하셨는지 양 손 가득히 김치, 나물, 여러 가지 밑반찬 등등을 들고 오셨다. 손이 아픈 사람이 음식 하기 힘들 것을 배려해서 가져오신 것이었다. 어제 산에 같이 갔었다 사고를 당한 우리 때문에 이것저것 시간도 많이 뺏기고 애도 많이 쓰셨는데 이렇게 음식까지 준비해 오신 그 따뜻한 마음씨에 그만 가슴이 뜨거워왔다.

문 앞에 놓고 간 음식

오후에 Shore Care에 가서 다시 X Ray를 찍어보고 의사를 만나 상태를 확인하고 돌아왔다. 모든 것이 다 순조롭다는 말을 듣고 한결 마음이 가벼워 돌아왔다. 돌아와 보니 집 문 앞에 무언가가 놓여 있었다. 우리가 없는 사이에 누군가가 다녀가면서 또 정성스레 준비한 음식을 잔뜩 문 앞에 놓고 갔다. 어떻게 소식을 들었는지 그리고 그 짧은 시간 동안 어떻게 그 많은 음식을 준비해서 놓고 갔는지, 그 따뜻한 마음씨가 아직도 따뜻한 음식 그릇을 통해 전해져 왔다. 아내와 나는 말도 못하고 그냥 서로 쳐다보기만 했다.

아내의 고마움을 느끼다

그리고 몇 일이 지나갔다. 한 손을 못 쓴다는 것이 얼마나 불편한 것인지를 이번에 알게 되었다. 한 손으로는 치약 뚜껑 하나 제대로 열 수가 없었고 깁스를 한 손에 물이 들어가면 안 되니 목욕도 혼자 할 수 없었고 옷도 혼자 입을 수 없었다. 나는 아내의 왼 팔 노릇을 해야만 했고 왼 팔이 도와주지 않는 오른 팔이란 많은 경우 혼자서는 그나마 한 팔의 역할도 제대로 못 하기에 결국 나는 아내의 두 팔 노릇을 해야만 했다. 아내는 온전히 내게 온몸을 맡겼고 나는 아내가 하던 집안 일들은 물론 아내의 몸단장까지 도와주어야만 했다.

아내가 손을 다치긴 했지만 이번 기회에 나는 여러 가지를 배웠다. 결혼한 뒤 이제껏 거의 40년간을 나는 식사 때가 되면 밥을 먹었고 옷을 입을 땐 옷장에 걸려있는 옷을 꺼내 입었다. 밥이 어떻게 식탁 위에 놓이는지 옷이 어떻게 옷장 속에 들어가 있는지 알지 못했다. 그러다가 이번에 전기밥솥을 사용하는 법도 세탁기에 옷을 넣고 빨래를 돌리는 방법도 배웠다.

계란 프라이를 하기 위해서 달걀을 깨는 것도 배웠고 과일껍질을 벗기는 것도 배웠다. 힘이 들기도 했지만 아내가 시키는 대로 내 손을 써서 준비한 음식을 아내와 같이 먹는 것이 신기도 했고 재미도 났다. 그리고 밥하고 빨래하는 집안일이 이렇게 많은 것인가를 비로소 깨닫고 그 많은 일을 묵묵히 해 온 아내에게 너무도 미안했고 또 고마웠다. 의사의 말이 아내가 손이 낫기까지 6주 약 40일이 걸린다고 했다. 하나님께서 이번에 아내에게 쉴 시간을 주시면서 아내의 40년 수고를 내게는 40일 봉사로 대신하게 하시며 아내의 고마움을 깨닫게 해주시니 너무도 관대한 처분이 아닌가 싶다.

처음 사고가 났을 때엔 아내의 손이 나을 때까지 어떻게 견디나 하고 걱정도 했었는데 이번 기회에 아내와 더 가까워지는 시간 시간을 보내고 있다. 자기대신 집안 일을 하고 있는 남편이 안쓰럽고 미안해서 아내는 내 곁에 더욱 바짝 다가와 있고 이제껏 나를 위해서 너무 수고한 아내가 너무 고마워 나는 오히려 아내에게 무엇이라도 더 해주고 싶어서 가까이 다가간다. 혼자서는 옷도 제대로 입지도 벗지도 못하는 아내에게 옷 수발도 들고 목욕도 시켜주면서 오히려 신혼시절로 돌아간 것 같다. 환갑을 지난 지 벌써 오래지만 아내는 아직도 내 앞에서 벗은 몸을 부끄러워하지만 그러는 아내가 내 눈엔 신혼시절 못지않게 아름답기만 하다. 아내는 하나님이 내게 보내 주신 천사였는데 그 천사와 40년 같이 살면서도 그걸 모르고 살다가 아내의 손이 부러진 뒤에야 깨달았으니 나는 얼마나 미욱한 사람인가!

매주 화요일 저녁에 우리 집에서 모임을 갖는 화요음악회도 아내의 도움이 없으면 나 혼자서는 결코 할 수 없었을 것이다. 처음 시작한 것이 엊그제 같이 느껴지는데 이제 곧 100회를 맞게 된다. 하지만 아내의 손이 아픈데 음악회를 계속 할 수 없을 것 같아 내가, "당분간 화요음악회는 쉬어야 하겠소,"라고 말하자 아내가 단호한 표정으로 "여보, 화요일을 기다리는 분들을 생각해야지요. 당신이 조금만 도와주면 내가 한 손으로 얼마든지 준비할 수 있어요. 걱정 말고 그대로 계속하세요,"라고 용기를 주었기에 쉬지 않고 계속할 수 있었다. 다시 한 번 아내에게 고마움을 느낀다.

우리를 사랑해 주시는 분들

사람이 아무런 어려운 일없이 너무 안온하게 살다 보면 심신이 아울러 나태해지기 쉽고 감사하는 마음도 무뎌지기 쉽고 주변 사물을 바라보는 눈길도 어두워지기 쉽다는 것을 이번에 다시 깨달았다. 이번에 아내의 작은 사고를 통하여 나와 아내는 우리 주변에 계신 분들이 얼마나 좋으신 분들인지 우리가 그분들에게 얼마나 사랑을 받고 살고 있는지를 가슴 속 깊이 실감하였다.

사고 소식을 듣고 전화를 걸어 위로해주고 힘을 실어 주시는 분들, 그 동안 소식이 뜸했던 분들 중에서도 사고 소식을 전해 들었다면서 멀리서부터 전화를 주시는 분들, 그리고 아내의 손이 불편해 음식 준비 못할 것을 염려해서 정성스레 준비한 음식을 갖다 주시는 많은 분들에게 어떻게 감사를 표해야 할지 모르겠다. 김치를 비롯한 여러 가지 반찬들을 갖다 주시는 분들, 뼈에 좋다는 국을 끓여다 주시는 분들, 맛있는 요리를 해서 식기 전에 먹으라고 급히 달려와 놓고 가시는 분들, 집에서 해먹기 어려울 거라고 밖으로 데리고 나가 귀한 식사 대접을 해주시는 분들, 집안에만 있으면 답답할 거라고 차를 갖고 오셔서 우리 내외를 태우고 멀리 공원으로 나가

산보도 시켜주고 또 맛있는 것도 사주시는 분들, 외출했다 들어와 보면 우리가 없는 사이 어느새 와서 집 대문 앞에 꽃과 과일을 놓고 가시는 분들, 아 이 고마운 모든 분들을 어떻게 다 열거할 수가 없을 정도이다. 이렇게 사랑이 많으시고 우리를 아껴주시는 귀한 분들을 그 동안 제대로 알아 보지도 못하고 지내온 우리 자신이 너무 부끄럽게 느껴졌다.

누군가 가져 온 음식으로 저녁상을 차리는 아내

어느 날 아침엔 일어나서 아침 준비를 하려는데 카톡이 울렸다. 이런 이른 아침에 웬일인가 하고 보았더니 이런 내용이었다. '선생님 비가 오시네요. 날이 궂으면 손목이 더 아프시지 않을까 걱정이 돼서요-----' 여기까지 읽으면서 그만 울컥 가슴 속에서 솟아오르는 울음을 삼켜야만 했다. 남의 염병이 내 고뿔만 못하게 여겨지는 것이 세상의 인심이라고 했는데 이 카톡을 보내신 분은 얼마나 남을 배려하는 마음씨를 가졌기에 비 오는 날씨를 보고 무엇보다 먼저 아내의 아픈 손목을 염려했을까를 생각하니 그냥 가슴이 뜨거워왔다. "여보, 무슨 카톡이에요?"라고 묻는 아내에게 나는 대답대신 스마트 폰을 갖다 주었다.

"우리가 이렇게 사랑을 받아도 될지 모르겠어요. 이렇게 고마운 분들에게----"하면서 아내가 말을 맺지 못했다. "글쎄 말이오. 우리가 천사들 틈에서 살고 있나 봐요. 이제껏 그걸 모르고 살고 있었으니---"하면서 나도 말을 맺지 못하고 아내를 쳐다보았다. 아내가 성한 손을 내밀어 내 손을 잡았다. 우린 서로 잡은 두 손을 꼭 쥐므로 맺지 못한 말을 대신했다.

그날 하루 종일 비가 내렸다. 그렇지만 아내의 다친 손목은 날아갈 듯 가볍기만 했다. 내리는 비를 가슴 속으로 받아내며 나는 컴퓨터 자판을 두드려 시(詩) 한 편을 만들었다.

천사들 틈에서 살고 있었네

천사들 틈에서 살고 있었네
그런 줄 모르고 살아 왔었네
아프고 나서야 눈이 뜨였네
그들이 천산 줄 이제 알았네

천사들 틈에서 살고 있었네

가까운 사람들 모두 천산데
떠나면 하늘만 바라 보면서
천사가 없다고 불평 했었네

천사들 틈에서 살고 있었네
끝까지 모르고 살 뻔 했었네
참사랑 받고서 알게 됐으니
이제는 사랑을 주며 살겠네

2014. 11.2 석운 씀

집에 편지를 부치고 싶어도

부모님 전 상서

연말이 되면 생각나는 아버님

해마다 연말이 되면 오래전에 돌아가신 아버님 생각이 난다.

그 추운 겨울 저녁 아버님은 무엇 때문에 어둠을 향해 발걸음을 옮겨놓으셨을까? 저녁 드시고 어머님이 설거지하는 동안 잠깐 산책 나갔다 오시겠다고 나가시는 뒷모습을 힐끗 보신 게 마지막이라고 어머님은 말씀하셨다. 설거지 끝내고 왜 이렇게 안 돌아오시나 아버님을 기다리고 기다리던 어머님에게 걸려온 전화는 경찰서에서부터 온 청천벽력과 같은 비보를 알리는 전화였다. 택시를 타고 들 달려 병원으로 가셨지만 어머님을 기다리고 계신 분은 영안실에 싸늘하게 식어 누워 계신 아버님이었다. 아무리 붙잡고 소리치고 울고 흔들어도 아버님은 깨어나지 않으셨고 겨우 정신을 차려 우리 형제들에게 전화를 하셨다.

우리 내외와 형 내외가 거의 동시에 천호동 원호병원 영안실 문을 박차듯 뛰어들었을 때 우리는 돌아가신 아버님보다 그 옆에 백지장같이 앉아계신 어머님을 붙잡고 울고 또 울었다. 그리고 한참 뒤에야 누워 계신 아버님을 뵙고 그 자리에 무릎을 꿇었다. 교통사고로 돌아가신 분답지 않게 아버님의 얼굴은 평안하셨다. 평소의 자애로운 모습 그대로 셨다. 산책하시는 아버님을 트럭이 뒤에서 덮쳤고 졸지에 받히셨기에 내상의 충격으로 인해 돌아가셨지만 신체가 많이 상하지 않으셨다는 병원 측의 설명을 나중에 들었다.

아버님 죄송합니다. 저희의 불찰입니다. 저희가 가까이 모시고 살아야 했는데 그렇지 못해 이렇게 혼자 돌아가시게 했습니다. 저희들은 천하의 불효자식들입니다. 용서하십시오. 그리고 평안히 가십시오. 어머님 걱정은 하시지 마세요. 저희가 최선을 다해 모시겠습니다.

슬픔과 자책으로 우리 형제는 울며불며 무슨 말을 하는지도 모르며 속에 든 말을 쏟아냈다. 하지만 아버님은 아무런 말씀이 없이 그 자리에 누워계셨다. 그때의 슬픔과 회한을 지금 다 표현할 수는 없지만 아직도 뚜렷하게 기억하는 것은 나나 형이나 왜 살아계실 때 좀 더 가까이 모시지 못했을까 왜 좀 더 전화라도 자주 드리지 못했을까 하는 회한이었다.

아버님이 돌아가신 날이 12월 30일이었다. 남들은 차례를 지내고 식구들이 모여 떡국을 먹는 1월 1일에 우린 언 땅에 아버님을 묻고 산을 내려왔다. 나는 저 추운 곳에 저 양반을 놔두고 혼자 못 내려가니 나도 함께 묻어달라고 땅바닥에 주저앉아 울고 또 우시다 끝내 혼절해 버리신 어머니를 우리 형제들이 떠메듯 업고 안아서 모시고 산을 내려왔다.

세월이 흘러도

그렇기에 아버님이 돌아가신 지 벌써 삼십 년이 넘는 세월이 흘렀지만 그때의 아픔과 슬픔은 평생을 통해 가슴속에 남아있다. 그러다가 12월만 되면 오래된 통증이 도지듯 그때의 아픔과 슬픔이 되살아난다. 일 년의 마지막 달은 지나간 날을 뒤돌아보게 하는 달이기에 먼 옛날 추억의 그림자들이 살며시 움직거린다. 그 그림자들이 어느 순간 밀물처럼 포말을 일으키며 가슴속 깊은 감성의 벽을 부딪치며 소리를 낸다.

12월이 되고 연말이 되면 그 옛날 부모님이 살아계셨을 때 가족이 다 모였던 정경이 떠오른다. 우리 자식들이 각기 준비한 선물과 카드를 드리면 선물보다 먼저 카드를 펼쳐보고 그 속에 적힌 아들딸의 편지를 읽으시면서 환하게 웃으시던 두 분의 모습이 눈에 선하다. 참 행복하던 시절이었건만 그때는 그 행복을 지금만큼 제대로 깨닫지 못했다. 살아만 계신다면 얼마나 좋을까! 살아만 계신다면 이 연말이 이렇게 허전하지 않을 것 같다. 고국의 형제들과 친구들과 카톡으로 주고받는 안부와는 달리 부모님이 살아계신다면 휴대폰이 없던 그때처럼 흰 백지에 만년필로 정성껏 편지를 써서 전해드리고 싶다. 하늘을 날아 바다를 건너 부모님 손에 들어간 내 편지를 열면서 기쁨으로 떨릴 부모님의 손길을 마음속으로 느끼고 싶다. 아, 그러나 이제는 편지를 보내고 싶어도 전화를 걸고 싶어도 이 땅에 아니 계신 부모님, 그 부모님이 올해 연말엔 왜 그렇게도 그리운지 가슴이 아리고 눈시울이 뜨거워진다.

기가서(寄家書)

한참을 회한에 잠겨 옛 기억을 더듬다가 나는 문득 얼마 전에 읽었던 기가서(寄家書)라는 시(詩)가 생각났다. '집에 편지를 부치며'라는 뜻의 기가서(寄家書)는 조선 시대의 시인 이안눌(李安訥 1571-1636)의 작품이다.

欲作家書說苦辛 집으로 보내는 편지에 (이곳에서의) 괴로움을 말하고 싶어도,

恐敎愁殺白頭親 흰머리의 부모님을 근심시킬까 걱정되어

陰山積雪深千丈 (이곳의) 그늘진 산과 쌓인 눈의 깊이가 천 장이지만

却報今冬暖似春 도리어 올해 겨울은 봄처럼 따뜻하다 말씀드리네.

이 시는 이안눌이 함경도 북평사(北評事)로 북쪽 변두리에 가 있을 때 집으로 편지를 보내며 지은 시이다. 이 시를 짓게 된 연유는 다음과 같다. 집에서 이안눌에게 편지와 겨울옷을 보냈는데 해를 넘겨서야 겨우 받았다. 그렇게 받은 옷이었지만 그동안 북쪽 변방에서 고생이 심해 몸이 야위어서 아내가 예전 치수대로 지어 보낸 옷이 너무 커서 입을 수가 없었다. 따뜻한 남쪽 고향을 떠나 눈이 깊게 쌓이는 추운 산악 지대에서 고생스럽게 지내 몸이 야윌 정도였지만 막상 이런 어려움을 편지에 쓰려고 하니 걱정하실 부모님 얼굴이 떠올라 오히려 '올해 겨울은 봄처럼 따뜻하다'라고 거짓 말씀을 드려 안심시켜 드렸다는 내용이다.

자식은 나이가 어떻든 부모에겐 어린 자식일 따름이다. 이런 부모의 마음을 조금이라도 헤아린다면 효자이다. 기가서(寄家書)를 지은 이안눌의 마음이 올해 연말엔 더욱 가슴을 저미고 들어온다. 하지만 그렇게 거짓말로라도 부모님 마음을 달래는 편지를 쓸 수 있었던 이안눌은 지금의 나보다 행복했을 것이라는 생각이 든다. 부모님만 살아계신다면 나는 이안눌의 기가서(寄家書) 보다 훨씬 더한 거짓말이라도 마다하지 않으며 아주 길고 긴 편지를 쓸 수 있을 것 같다.

한국과는 계절이 정반대인 이곳 뉴질랜드의 연말은 여름이 한창이라 밤 9시가 되어도 아직 환하다. 오늘 12월 30일, 저녁 9시가 지났건만 아직도

희부연 창밖을 바라보며 나는 차라리 그 옛날 아버님이 돌아가셨던 날처럼 어두웠으면 좋겠다는 생각을 하고 있다. 그러면 그 어둠 속으로 깊이 침잠해 들어가 지난날의 그 슬픔과 회한을 조금은 쉽게 잊을 수 있을 것 같았다. 그리고 그 어둠 속에 촛불 하나 밝히고 그 옛날의 이안눌처럼 부모님께 편지를 쓰고 싶었다. 인편으로도 우편으로도 보낼 수 없으니 이 저녁 부는 바람결에 날려 보내면 부모님께 갈 것 같았다. 그 옛날 부모님께 편지를 쓸 때처럼 겉봉에 내 이름을 쓰고 본제입납(本第入納)이라고 쓰면 하늘나라 어딘가에 계실 부모님께서 알아보시고 덥석 반갑게 받아보시는 모습이 떠올랐다.

나는 불현듯 책상으로 돌아와 흰 백지를 꺼내고 만년필 뚜껑을 열고 한 자 한 자 정성껏 편지를 쓰기 시작했다.

부모님 전 상서

아버님 어머님 안녕하세요 불효자식이 먼 나라에서 안부 편지 올립니다.
지난여름 두 분 산소에 성묘 갔다가 곱게 자라는 떼를 보고
하늘나라에 계신 두 분이 평안하시구나 생각했습니다
고국 떠나 멀리 있기에 제때 성묘도 못하는 불효를 용서해 주십시오

세월이 많이 흘러
불효자식의 나이가 두 분 살아계실 때의 나이보다 많아졌습니다
겨우 자식 둘 키우면서 힘들고 어려울 때마다 부모님 생각했습니다
먹을 것도 입을 것도 귀하기만 했던 그때
우리 남매 다섯을 어떻게 키우셨을까 생각할 때마다

두 분께 감사했고 죄송했습니다.

가지 많은 나무 바람 잘 날 없다는 옛 말씀의 참뜻을
자식을 키우면서 깨달으며 그럴 때마다 두 분이 너무 보고 싶었습니다
조금만 더 사셨더라면 저희 자식들이 좀 더 효도를 할 수 있었을 텐데
가슴을 치며 회한에 휩싸여도 두 분은 안 계셨습니다.

子欲養而親不待
이리도 평범한 말씀을 왜 그때는 깨닫지 못했었는지요!

오늘 12월 30일
그 옛날 이날에 아버님이 먼저 하늘나라로 가셨고
눈물과 슬픔 속에 사시던 어머님은 곧이어 아버님 따라가셨습니다
세상은 새해를 맞는다고 분주하지만 저는 두 분이 그리워 편지를 씁니다

두 분 계실 때 보다 세상은 많이 좋아졌으니 이제는 자식 걱정 마시고
더 이상 눈물도 슬픔도 없는 하늘나라에서
두 분 부디 평안하십시오 살아생전의 다정하고 인자한 모습으로

2019.12.30 석운 씀

신서란 귀거래사(新西蘭 歸去來辭)

방황을 마치고 고국으로 돌아오며

자유로운 삶을 꿈꾸다

그때, 1992년 가을이 한참 깊어가던 11월의 어느 날 나는 떠날 생각을 하고 있었다. 그때, 사십 대 중반이었던 나는 자그마한 무역회사를 경영하고 있었고 중학교에 다니는 딸 둘과 아내가 있는 가장이었다. 지금, 고희(古稀)의 나이도 몇 년 전에 훌쩍 보내버린 내 눈에 보이는 사십 대들은 젊다 못해 어려 보이기까지 한다. 하지만 그때, 겨우 사십 대 중반이었던 나는 벌써 은퇴를 생각하고 있었다.

왜 그랬는지 모르지만 나는 어렸을 때부터 돈이나 성공에 대한 큰 욕심이 없었다. 천성이 게으른 탓인지 지금이나 그때나 내가 원하는 것은 단지 자유로운 삶이었다. 그 무언가에도 그 무언가를 위해서도 얽매이지 않고 사는 삶이 내가 원하는 것이었다. 대학을 졸업하고 가정을 이룬 뒤 생활비를 벌기 위해 대기업에 잠깐 다닌 적이 있지만 쳇바퀴 도는 것 같은 회사 생활에 숨이 막혀 금방 그만두었다. 그리곤 개인 사업을 시작했다. 자유롭기 때문이었다. 거의 맨주먹으로 시작한 무역회사였지만 때마침 불기 시작한 수출 붐에 힘입어 회사를 키울 수 있었다. 집도 샀고 작지만 사옥도 마련했다. 하지만 거기까지였다. 생활비를 걱정하지 않아도 되자 사업에 싫증이 나기 시작했다. 바이어를 만나는 것도 주문을 받아 선적(船積)을 하는 것도 매달 자금을 마련해 직원들 월급 주는 것도 차츰 나를 속박하는 올가

미로 느껴졌다. 그 모든 것에서 벗어나 자유롭고 싶었다.

그땐, 큰 딸아이가 중학교 졸업을 얼마 안 남기고 있을 때였다. 초등학교 때부터 첼로를 치기 시작했던 아이가 이런저런 콩쿠르에서 두각을 나타내고 있었기에 아내는 아이의 유학을 조심스럽게 생각하고 있던 때이기도 했다. 작은 딸은 막 중학교에 들어갔을 때였다. 그때나 지금이나 한국의 교육제도를 못 마땅하게 생각하고 있던 나는 큰딸의 첼로 교육을 위해서도 또 한국의 입시지옥에서 내 딸들을 구해주기 위해서도 떠나야 한다고 생각했다. 그렇지 않아도 답답한 현실에서 벗어나 어디론가 떠나고 싶었던 그때의 나는 그렇게 떠날 결심을 했다.

아이들을 위해 택한 나라, 뉴질랜드

내 아이들이 아들이었다면 아마도 남들처럼 미국행을 생각했을 것이다. 하지만 사업을 하면서 수없이 다녔던 미국을 나는 결코 딸아이들을 보낼 수 있을 안전한 나라로 보지 않았다. 이곳저곳 생각하다 좀 멀지만 가장 안전하다고 생각한 나라가 뉴질랜드였다. 영어권의 나라였고 기후가 온화했고 무엇보다도 지상의 마지막 낙원이라고 불릴 만큼 자연도 아름답고 사람들도 순박한 나라라는 것에 마음이 놓여 그렇게 정했다. 그렇게 해서 나는 가족들과 함께 고국을 떠나 이곳 뉴질랜드로 왔다. 그땐, 1993년 5월이었다.

세월이 흘렀고 나는 낯선 곳에서 낯선 사람들 사이에서 남의 눈치 보지 않고 자유로운 삶을 살았다. 일하고 싶으면 일했고 쉬고 싶으면 쉬었다. 큰딸은 대학을 졸업하고 한국으로 돌아가서 저하고 싶은 일을 하다가 결혼을 했고 작은 아이는 대학을 졸업하고 호주로 건너가 직장에 다니다가 결혼을 했다. 아이들이 떠나자 우리 부부만 달랑 뉴질랜드에 남았다. 그리고 십여 년을 둘이서만 살았다. 아이들이 없는 집안은 적적했지만 대신 홀가분한 자유가 흘러넘치는 생활이었다. 아이들 위주의 삶에서 부부 위주의 삶으로 바뀌며 먼 옛날 결혼 뒤 아이들이 태어나기 전에 누렸던 한갓진 삶을 살 수 있었다. 아마도 우리 삶의 가장 황금기가 지난 십여 년이었을 것이라고 생각할 정도로 자유롭고 행복하게 살았다.

하지만 나이가 들어갈수록 고국으로 돌아가고 싶은 마음이 커지는 것은 우리 부부 둘 다 마찬가지였다. 그런 마음을 달래기 위해서 처음 몇 년간은 일 년에 한 번씩 꼭 고국을 방문해 두어 달씩 지내다 돌아왔다. 다행히 큰 딸 집에 머물 수가 있어서 마음껏 고국 생활을 즐기다가 돌아왔다. 고국에 가면 가보고 싶은 곳도 많고 먹고 싶은 것도 많지만 가장 큰 기쁨은 나를 반겨주는 어릴 적 옛 친구들을 만나는 일이었다. 너무 오랜동안 만나지 못해 다시 만나면 서먹서먹할 것 같았지만 어릴 적 친구들은 만난 뒤 잠깐 지나면 어느새 까마득한 그 옛날의 다정한 사이로 돌아가 있었다. 철없었지만 순수했던 시절에 쌓아놓았던 우정이기에 세월이 지나도 변함이 없이 그대로 우리 사이를 지켜주었다. 고국에 갈 때마다 너무도 반겨주고 진심으로 대해 주는 친구들이 있기에 해마다 고국으로 가는 발길이 그렇게 가벼웠고 돌아올 때는 그렇게 마음이 허허로웠을 것이다.

나이가 들수록 그리워지는 고국

2020년에는 1월에 고국을 방문했다. 모처럼 연초에 고국에 머물며 친척들도 만나고 친구들과 회포도 풀고 싶었지만 중국에서 발발하여 별안간 전 세계로 퍼지기 시작한 코로나로 인해 쫓기듯 뉴질랜드로 돌아와야 했다. 비행기를 타고 오는 동안 계속 가슴이 답답했다. 처음에는 안 쓰던 마스크를 썼기 때문이라고 생각했지만 아니었다. 그때 나는 삼십 년이란 긴 세월을 고국과 뉴질랜드 사이에서 방황하고 있는 내 몸과 마음의 불안정성을 느끼고 있었다. 그러면서 문득 나는 누구이며 무엇인가라는 정체성(正體性)을 생각했을 때 가슴이 답답해진 것이었다. 언젠가 어느 책에선가 아니면 신문에선가 이스라엘 사람들은 전 세계에 흩어져 살다가도 조국 이스라엘에 무슨 일이 생기면 귀국해서 힘을 합하여 어려움을 극복한다는 이야기를 읽고 가슴이 뜨거워진 적이 있었다. 그런데 지금 고국에 코로나가 퍼져나가 모두가 이를 극복하기 위해 애를 쓰고 있는데 도망치듯 뉴질랜드로 돌아가고 있는 나의 모습이 너무 비겁하게 그리고 초라하게 느껴졌다.

'이제는 돌아가야겠다'라고 마음먹은 때가 바로 그때였다. 코로나에 쫓겨 돌아오는 비행기 안에서 나는 코로나 사태만 진정되면 모든 것을 정리하고 고국으로 돌아가야겠다라고 작정하였다. 코로나와 같은 세계적인 전염병을 평생 처음 겪는 나로서는 이 사태가 그렇게 오래 계속될지는 몰랐다. 가장 안전할 것 같았던 뉴질랜드에도 코로나는 들어왔고 무서운 속도로 퍼져나갔다. 더 이상의 확대를 막기 위해 정부는 국경을 막았다. 아무도 들어올 수도 없었고 나갈 수도 없었다. 길어야 몇 달이면 끝이 날 줄 알았던 코로나 사태는 해가 바뀌어도 진정이 안되었고 좀 잠잠해지는가 싶다가도 다시 일어나 극성을 부렸다.

이런 악순환이 2년 반이 넘도록 계속되다가 다행히 2022년 봄부터 코로

나의 세력도 약해지고 사람들의 면역력도 강해지자 정부는 국경을 열었다. 하늘길이 열리기만을 학수고대하던 나는 곧장 아내와 더불어 고국으로 날아들었다. 그리고 정확히 두 달 열흘 동안 마음껏 고국산천을 누볐다. 발길 닿는 곳마다 고국의 하늘과 땅은 우리 부부를 반겨주었고 우리가 왔다는 소식을 들은 친지들과 친구들은 넉넉한 가슴과 따뜻한 손길로 우리를 맞아주었다.

다시 자유로운 여생을 위해

"이번에 가면 정리합시다. 이제는 돌아갈 때가 된 거 같소." 두 달 열흘의 결코 짧지 않은 고국 방문을 마치고 뉴질랜드로 돌아오는 비행기에서 나는 아내에게 말했다. "좋아요. 저도 이번 여행을 통해서 고국이 얼마나 좋은 지를 실감했어요. 내 몸에 맞는 옷같이 편안하고 자유스러워요. 우리가 이제 무얼 더 바라겠어요. 돌아가서 맘 편하고 자유롭게 여생을 살면 되지요." 평소에 말을 아끼던 아내가 웬일인지 마치 준비해 놓았던 것 같이 대답했다. '나는 아무것도 바라지 않는다. 아무것도 두려워하지 않는다. 나는 자유다.'라는 니코스 카잔차키스의 묘비명을 생각나게 하는 아내의 대답에 나는 더욱 힘을 얻었다..

나는 아내의 손을 잡았다. 거의 오십 년 가까운 세월을 같이 살며 아내와 나는 호사스럽게 살지는 못 했어도 자유롭게 살아왔다. 무엇인가에 얽매이지도 않았고 무엇인가를 크게 바라지도 않았기에 두려움 없이 훌훌 고국을 떠날 수도 있었고 낯선 곳에서도 자유롭게 살 수 있었다. 그리고 이제는 다시 옛 둥지로 돌아갈 시간이 된 것이다. 삼십 년 전 떠나올 때 그렇게 담담하게 떠날 수 있었던 것처럼 이제는 다시 담담하게 돌아갈 수가 있는 것이다. 남은 삶을 고국에서 산다는 것 이외에는 아무것도 바라지 않기에 두려울 것도 전혀 없다. 머물고 떠나는 것을 우리 마음대로 할 수 있는 우리 부부야말로 '우리는 자유다'라고 마음껏 외칠 수 있다. "당신 말이 맞아요. 우리 돌아가서 자유롭게 또 새로운 삶을 삽시다."라고 나는 내게 손을 맡긴 채 나를 바라보고 있는 아내에게 말했다.

2022년 8월, 뉴질랜드로 돌아온 우리는 차분히 돌아갈 준비를 했다. 삼십 년 타국에서의 삶을 차근차근 정리하기 시작했다. 가장 큰 문제는 집을 파는 것이었다. 공교롭게도 경기가 안 좋아 집을 팔기가 어려웠지만 중요한 것은 돈이 아니라 시간이었다. 경기가 좋아지기 기다리다 시간이 흘러가면 고국에서 보낼 시간이 사라져 간다는 생각이 들자 누구든 원매자가 나타나면 값의 고하를 막론하고 팔기로 했다. 그렇게 해서 집을 팔았다. 그 다음엔 다시 갖고 있던 모든 것을 정리하기 시작했다. 어느 것 하나 정들지 않은 것이 없지만 그중에서 차마 놓아버리기 힘든 것은 평생을 모아 왔던 책과 음반이었다. 책 한 권 음반 한 장마다에 추억과 손때가 묻어 있어 버리기 어려웠지만 그때마다 박경리 선생이 '옛날의 그 집' 에서라는 시(詩에서) 말씀하신 '모진 세월 가고 아아 편하다 늙어서 이리 편안한 것을 버리고 갈 것만 남아서 홀가분하다.'를 떠올리며 과감하게 정리했다.

이렇게 해서 우리 부부는 고국으로 돌아갈 준비가 되었다. 하지만 삼십 년 동안 이 땅 신서란(新西蘭: 뉴질랜드의 한자표기)에 살면서 우리와 인연을 맺었던 모든 분들께는 너무도 죄송하여 어떻게 인사를 드려야 할지 그냥 가슴이 먹먹할 따름이다. 떠나기 전 만나는 분들마다, 소식을 듣고 전화를 주시는 분들마다 "그동안 감사했습니다, 사랑합니다, 몸은 떠나지만 결코 잊지 못할 것입니다. 부디 이 땅에서 행복한 삶을 사시기 바랍니다."라고 말씀드렸지만 서운하고 안타까운 마음은 떠나는 날이 다가올수록 더욱 커졌다.

때마침 뉴질랜드 기독교 신문 크리스천라이프에서 우리 부부의 귀국을 기사로 다루어 주시면서 교민들 모두에게 석별의 인사를 할 수 있는 지면까지 내어주셔 그곳에 실은 시(詩)가 다음의 신서란 귀거래사(新西蘭 歸去來辭)이다. (2023년 2월 12일 크리스천라이프 기사 참고)

신서란 귀거래사(新西蘭 歸去來辭)

돌아가야 해
몸도 마음도 늙었는데 어찌 돌아가지 않으리
젊은 날 새로운 삶을 찾아 가족들 손을 잡고
고국을 떠난 지 삼십 년
이곳저곳 낯선 길을 마음껏 돌아다녔지만
이제는 돌아가야 해 나 태어나 자라났던 곳으로

나이 들었다고 어찌 주저앉아만 있을 것인가
지난날이 아무리 아름다웠어도
모두 젊은 날의 한 자락 꿈
봄날의 아지랑이처럼 하늘 저 끝으로 사라져 가고
이제는 외로움이 꿈보다 앞서는 나이
돌아가야 해 어릴 적 내 친구들 기다리는 곳으로

아오테아로아

길고 흰 구름의 나라 하늘은 푸르고 밝지만

뭉게구름 떠다니던 고국의 하늘이 더욱 그리워

자꾸 바다 저편 수평선만 바라보는 하루하루

남은 삶을 그리움 속에서만 살지 말고

이제는 돌아가야 해 낯익은 얼굴들이 날 맞아주는 곳으로

얼마나 변했을까 내 떠났을 때의 고국

강산도 변한다는 십 년이 세 번 지났으니

못 알아볼 만큼 변했을까 내 추억 속의 정든 곳들

너무도 보고 싶어 몸보다 먼저 떠난 내 마음

벌써부터 고향산천 방방곡곡을 내려다보고 있네

돌아가야 해 더 늦기 전에 가서 다시 시작해야 해

잘 있어라 아오테아로아 길고 흰 구름의 나라

네 따스한 품 속에서 우리 아이들은 성장하였고

밝고 깨끗한 하늘 아래서 우린 곱게 나이 들었다

삼십 년 짧지 않은 세월 네게 진 신세 잊지 않으마

감사하는 마음 사랑하는 마음 가슴 가득하지만

이제는 돌아가야 해 부디 기쁜 마음으로 보내다오

눈을 떠도 눈을 감아도 떠오르는 그 옛날 고국의 정경

다시 그 꿈같은 아름다운 속으로 들어가고 싶어

그 속에선 콩나물시루 같던 국민학교 교실도
아침마다 시달려야 했던 만원 버스도
모두 정답기만 해 못 견디게 그립기만 해
돌아가야 해 가서 그 정경 속의 일부분이 되고 싶어

날마다 어디선가 날 부르는 소리
뒤돌아보면 아무도 없고 적막 속에 홀로 서있는 나
처음엔 환청인 줄 알았어 이명(耳鳴)인 줄 알았어
한참이 지난 뒤에 알았어 고국이 날 부르는 소리라는 것을
나는 고국을 잊었어도 고국은 날 잊지 않았어
돌아가야 해 날 부르는 고국의 소리 영영 사라지기 전에

고국은 어머니 같을 거야
노느라고 정신이 팔려 밥때를 놓치고 들어가도
따뜻한 아랫목에 밥그릇 묻어놓고 기다리시던 어머니 같을 거야
삼십 년 방황 끝에 몸도 마음도 지쳐 돌아가지만
고국은 어머니 같이 받아줄 거야 그 자상한 미소와 더불어
돌아가야 해 가서 그 아늑하고 따뜻한 품에 안길 거야

이제 또 다른 삶이 시작될 거야
모든 것 내려놓고 돌아가는 고국에서 새롭게 시작되는 삶
육신을 위한 삶이 아닌 영혼의 속삭임에 몸을 맡기고 사는 삶
생명의 연장을 위한 삶이 아니라 주어진 삶을 사는 삶

천국을 기다리는 삶이 아닌 오늘 하루가 천국인 삶
돌아가야 해 그런 삶을 살기 위해 돌아가야 해

고국은 내게 할 일을 줄 거야
늙고 힘없지만 고국을 위해 내가 할 수 있는 일을 줄 거야
무슨 일거리를 주던 나는 즐거할 거야 고마운 마음으로
콧노래를 부르며 으쓱으쓱 어깨춤을 추며 일을 하다가
저녁이 되면 정다운 친구들과 어울려 정담을 나눌 거야
돌아가야 해 다정한 목소리로 나를 부르는 내 고국으로

지나간 삼십 년 머나먼 길을 돌아다니며
꿈꾸듯 하늘만 바라보며 살아왔어
이제는 돌아가 땅을 굽어보며 살 거야
땅의 숨소리 땅의 속삭임에 귀 기울이며 살 거야
맨발로 땅을 밟으며 맨손으로 땅을 만지며 살고파
돌아가야 해 그 속에서 살다가 언젠간 나도 고국의 땅이 되고파

2023년 2월 석운 씀

(*우리 부부는 2023년 3월에 귀국하여 행복하고 자유로운 여생을 고국 품에서 지내고 있다.)

책을 닫으며

참다운 여행자가 되기 위하여

책머리에 밝혔듯 이 책에 쓰인 글은 모두 지나온 제 삶의 흔적을 담고 있습니다. 어떤 흔적은 유치하기도 하고 치기가 어려있기도 하지만 고희(古稀)를 지나 희수(喜壽)가 가깝도록 살아온 스스로의 삶이 나름 자유롭고 행복한 삶이었다고 생각하는 철부지 노인의 독백 같은 글을 끝까지 읽어주신 모든 분께 감사드립니다.

프랑스의 시인 보들레르(Baudelaire)는 그의 시(詩) '여행'에서 '참다운 여행자들은 오직 떠나기 위해 떠나는 자들'이라고 읊었습니다. 우리의 삶은 가장 장엄한 여행입니다. 이 '삶이라는 여행'에서 참다운 여행자는 오직 살기 위해서 사는 자라고 생각합니다. 보통의 여행과 달리 삶이라는 여행에서 '떠남'은 우리의 몫이 아닙니다. 어느 날 문득 눈을 떴을 때 우린 이미 삶이라는 여행길 위에 던져져 있습니다. '떠남'이 이미 시작된 삶이라는 여행에서 참다운 주인이 되기 위해 우리가 해야 할 일은 '오직 살기 위해서 사는 것'입니다.

살기 위해 열심히 살다 보면 무언가를 이룰 수도 있고 좋은 사람들을 만나 아름다운 관계를 맺을 수도 있습니다. 여행을 떠나기도 전에 지나친 기대에 부풀어 목표를 너무 크게 잡으면 떠나기도 힘들고 떠난 뒤에도 부담이 커서 실패하기 십상입니다. 보들레르가 오직 떠나기 위해 떠나는 자들이 참다운 여행자들이라고 말한 이유가 여기에 있다고 저는 생각합니다. 참다운 여행자들은 자유로운 영혼의 소유자들입니다. 그렇기에 그들은 오직 떠나기 위해 떠날 수 있었고 그들의 여행은 자유로운 여행이 될 수 있었을 것입니다.

내세울 것 없는 삶이지만 저는 최소한 자유롭게 살았습니다. 무언가에 얽매이지도 않았고 무언가를 이루기 위해서 삶을 희생하지도 않았습니다. 떠나고 싶으면 떠났고 돌아오고 싶으면 돌아왔습니다. 결코 짧다고 할 수 없는 30년이란 세월을 외국에서 살다가도 훌훌 털고 고국으로 돌아와 살 수 있는 것도 '오직 살기 위해 살며' 삶 이외의 다른 것에 구애받지 않았기 때문입니다.

남은 삶이 얼마나 될지는 아무도 모릅니다. 그러나 노년이 되어 돌아온 저희 부부를 그 따뜻한 품으로 받아준 고국의 산하와 친지 친구들 모두에게 감사하며 남은 삶을 열심히 살 것입니다. 아무런 욕심 없이 자유롭게 '오직 살기 위해 살다' 보면 계속해서 삶의 흔적이 남을 것이고 그 흔적이 쌓이게 되면 또다시 한 권의 책이 되어 여러분 앞에 나올 수도 있을 것입니다.

이 책을 읽은 여러분의 삶이 자유로운 삶이 되고 여러분 모두가 삶의 참다운 주인이 되시기를 바라며 책을 닫습니다.

2024. 4월 석운 김동찬